UN BAILE DE MUERTE

Un baile de muerte
Abel Arana

BARCELONA – MADRID

© Abel Arana, 2016

© Editorial EGALES, S.L., 2016
Cervantes, 2. 08002 Barcelona. Tel.: 93 412 52 61
Hortaleza, 62. 28004 Madrid. Tel.: 91 522 55 99
www.editorialegales.com

ISBN: 978-84-16491-44-5
Depósito legal: M-4419-2016

© Diseño de portada: Louis Bou, Mista Studio
http://www.mistastudio.com

Imprime: Safekat. Laguna del Marquesado, 32 Naves K y L
Complejo Neutral. 28021 Madrid

Para Terenci Moix y Eduardo Mendoza.
Gracias por enseñarme tanto.

LOS PERSONAJES

JORGE ÁLVAREZ: inspector de la Policía de Barcelona. Soltero y sin compromiso a su pesar.

MARINA SABATER: inspectora de la Policía de Barcelona y compañera de Jorge.

MATÍAS ESQUIVEL: diputado del PP en el armario hasta que un diario de tirada nacional le hace un *outing* en el peor fin de semana de su vida.

CARLA ESQUIVEL: hermana de Matías. La bloguera de moda más famosa de España gracias a su programa de televisión.

RAMÓN: capataz de una fábrica de azulejos en Paterna, Valencia. De derechas, católico y homófobo a partes iguales.

MARIJOSE: esposa de Ramón. Se compró *50 sombras de Grey* en secreto en el pueblo del al lado. Harta de Ramón, necesita experiencias nuevas. Obsesionada con las redes sociales.

BIANCA: empresaria peluquera transexual nacida en Colombia. Salvaje e impulsiva. Para ella, la vida es una fiesta.

JASMINA: venezolana, transexual y socia de Bianca en la peluquería. Romántica y soñadora, espera al hombre de su vida.

PADRE EDUARDO: un sacerdote esquizofrénico, en busca de una señal, que planea una matanza en la fiesta gay más famosa de España para mandar un mensaje al mundo.

PADRE DAMIÁN: joven y apuesto compañero sacerdote en el monasterio del Padre Eduardo, torturado por un secreto de su pasado.

EDUARDO LÓPEZ: periodista de un importante periódico que necesita encontrar una noticia para que no le despidan.

SANTIAGO: el director estrella del nuevo cine español. Escribió y dirigió *Tú a Chiclana y yo a Porriño*, la comedia más taquillera de todos los tiempos, que cuenta una historia de amor entre dos hombres heterosexuales en la recogida de la fresa en Lepe. Está a punto de casarse con su novio.

ALEJANDRO: productor de la película y mejor amigo de Santiago.

MIGUEL ÁNGEL GONZÁLEZ: protagonista de la película. El que se lleva los premios. Se pasa el día mezclando porros con ansiolíticos. Un buen tipo. Sigue con su novia de toda la vida.

LUIS RIVAS: el otro protagonista de la película. Encantado de conocerse a sí mismo. Iba para tronista pero tuvo suerte y es el nuevo *sex symbol* español. Se folla cualquier cosa que respire, se mueva y sea rubia con tetas grandes.

RITA: policía recién salida de la academia. Vive para demostrar a sus superiores que es la mejor. Siempre dispuesta. Adicta al *Cuore*.

COMISARIO MENDOZA: jefe de la comisaría central de Barcelona, donde trabajan Jorge y Marina.

PRIMERA PARTE
48 horas antes

48 horas antes
Monasterio de San Judas Tadeo, Zaragoza

Al caer la noche en el Monasterio, el silencio inundó cada rincón del recinto. Por si las moscas, decidió avanzar descalzo por los pasillos para hacer el menor ruido posible. Antes de partir necesitaba llegar a la capilla privada, que casi siempre estaba en desuso para mostrarle al Señor lo grande de su obra. Girando la manilla con mucho cuidado, no pudo evitar que el vello se le pusiera de punta con el chirrido que hizo la puerta al ser abierta. Una vez dentro, rebuscó en el interior de su bolsa una linterna y enfocó hacia el final de la capilla buscando la cara del santo. Siguió el camino de su propia luz hasta llegar delante de la imagen y ofrecerle el contenido de su equipaje:

- 20 botecitos, con sus goteros dosificadores perfectamente rellenos.
- 20 botecitos simétricamente alineados en el suelo de la capilla frente a la imagen del santo.
- 20 botecitos rellenos de GHB comprado en internet de la manera más fácil del mundo.

- Y 20 botecitos con un extra de cicuta que iban a ser el puente al infierno de cientos de pecadores.

Daba igual que la cicuta oliese a perros: el GHB también olía fatal y, por lo visto, nadie se quejaba.

La salvación de miles de hombres, quizá millones, residía en aquellos 20 botecitos.

Enfocó con la linterna su reloj y comprobó que se hacía tarde: el autobús a Barcelona salía en menos de media hora.

Tenía tiempo de sobra, la maleta estaba hecha y todavía podía rezar un último avemaría y dos padrenuestros.

De esta, le hacían santo.

48 horas antes
Casa de Alejandro y Rubén
Barrio de Malasaña
Madrid

¿Conoces esa sensación de que estás superexcitado, ilusionado y con ese deseo de anticipación que te come por dentro pero al mismo tiempo te da terror lo que estás a punto de hacer? Exactamente así se encontraba Alejandro, que era la mente pensante de todo el plan. Se acercó al balcón para encender un cigarro porque Rubén no le dejaba fumar en casa. Expulsó una calada y pensó en voz alta:

—¿Tú crees que le va a hacer gracia o nos va a matar?

—Pues mira —le contestó Rubén, su marido, sin apartar los ojos de la tele—, si a mí me hacen eso justo antes de casarme contigo, yo creo que me hubiese quedado catatónico.

—Pero me tienes que reconocer que es muy de película...

—Sí, pero no sé si es una comedia o una de terror muy gore.

—Joder, Rubén, no me asustes...

—Hombre, cariño, es que esto es un paso más allá de la típica despedida con *strippers* y borrachera.

—De eso se trata ¿no?

—En principio sí..., ¿pero no me estabas preguntando por mi opinión?

—Sí, lo que pasa es que Santiago lleva un año muy en racha, con los tres Goyas, la nominación a los Premios Europeos del Cine y la prenominación a los Óscars...

—¿Y?

—Pues que imagínate que por mi culpa la armamos bien armada con lo «p'adentro» que es Santiago...

—Eres su mejor amigo, y tampoco creo que vayáis a hacer algo tan grave, y ya de paso le sacáis de la sala de edición, que hay que ver lo obsesivos que sois los que trabajáis en el cine, joder... Si lo llego a saber me caso con un tornero fresador.

Si Alejandro hubiera tan solo sospechado lo que iba a suceder en las siguientes 48 horas, ni se le hubiera ocurrido planear la despedida de soltero más cinematográfica que se le había pasado por la cabeza en honor a su mejor amigo y colega Santiago, el nuevo niño bonito del cine español, el chico de moda, el *enfant terrible* y lo que hiciera falta. Su ópera prima *Tú a Chiclana y yo a Porriño* se había convertido en la película española más taquillera de la historia. Y lo curioso del caso es que Santiago no había inventado nada. Harto de intentar triunfar con películas de ultrarrealidad, casi documentales, y acuciado por la falta de dinero, había copiado la estructura de una película de Doris Day y Rock Hudson de esas de toda la vida y decidió que los protagonistas iban a ser dos hombres. Es decir, Santiago consiguió que toda España se riera a carcajadas con la historia de amor gay más descacharrante jamás filmada. Paco y Xoan eran dos obreros de la construcción en paro por culpa de la crisis que se conocieron en la recogida de la fresa en Lepe e, inmediatamente, entre matojo y matojo se enamoraban locamente y se pasaban toda la película intentando que no los pillasen los otros trabajadores y... sus novias, que también habían ido a recoger fresas para sacar un dinerillo. El colmo de la risa era que Xoan se había pasado toda la vida en una aldea de la provincia de Lugo y solo hablaba en gallego. La escena en la que Paco, enamorado y borracho a partes iguales, le canta a Xoan a la luz de una hoguera lo de «Soy galleguiño, vengo de Lugo, tengo una gaita metida en el culo» ha pasado ya a la historia de la comedia española. Y Alejandro, que había visto el potencial de la historia de Santiago desde el primer día, se convirtió en el productor de la cinta después de haber esquilmado a toda su familia y haberse rehipotecado hasta las muelas del juicio. Pero un año y medio después, Santiago y Alejandro además de hombres de éxito, eran ricos. Asquerosamente ricos, de hecho.

—Supongo que organizarle una despedida de soltera a una que trabaja en la ventanilla de un banco sería mucho más fácil —dijo Alejandro—; contratas a un cubano, las llevas a todas a un restaurante hortera donde actúen travestis y les pones una banda de miss y una polla de gomaespuma en la cabeza...

—No te creas —le contestó Rubén—, últimamente la vida de las empleadas de banco oscila entre la amenaza de muerte, el grito y el disgusto de ocho a tres. Eso si no están declarando en la Audiencia Nacional.

—Mira que tienes respuesta para todo... Pero vamos a ver. Con lo fan que Santiago es de la gran comedia americana... ¿qué iba a hacer? Pues encontrar el equivalente español, y encima nos coincide en fechas... Vamos, que no hay nada mejor.

—Yo, la verdad, no sé muy bien cómo va a reaccionar cuando le quitéis la venda y se dé cuenta de que está en la *pool party* más grande del mundo rodeado de cachas untados en aceite bailando *house*... No sé yo —le dijo Rubén.

—¡Es que de eso se trata! ¡De que se lleve un susto enorme y se encuentre descolocado!

Una vez más, Alejandro iba a acertar de pleno. El susto se lo iba a llevar y descolocado se iba a quedar. Él y toda España. Cada vez estaba más convencido de que era un plan la mar de gracioso: la suite más grande del Hotel Axel en Barcelona ya estaba reservada y la furgoneta se la llevarían a casa al día siguiente por la tarde. Alejandro no quería ir ni en tren ni en avión porque Santiago podía enterarse de las cosas por megafonía, que a Santiago no se le escapaba una. Miguel Ángel y Luis, los dos protagonistas de la película (y amigos de ambos desde la Facultad) habían accedido a participar y estaban locos comprándose gorras y gafas de sol de tamaño gigante para que nadie los reconociera. Porque Miguel Ángel y Luis eran, en ese momento, las personas más famosas de España y, ya de paso, heterosexuales de toda la vida.

—Alejandro —le dijo Rubén.

—Dime.

—Que todo muy bien, pero que como me entere de que te lías con un cachas de esos... te corto los huevos. Y te lo digo desde el cariño y sin acritud...

—Hay que ver cómo sois los de Bilbao cuando os ponéis burros...

—Por cierto, tampoco te folles a una gallina, que los del cine sois capaces de todo por crear una ilusión —se rio Rubén.

—Prometido.

Resumiendo: el director y el productor de la película más taquillera de todos los tiempos, con sus dos protagonistas masculinos que no podían salir a la calle sin guardaespaldas de lo famosos que eran, metidos en una furgoneta y conduciendo de madrugada hasta Barcelona, donde llevarían a Santiago con los ojos vendados hasta que estuvieran en la entrada de la fiesta en el Water Park del Circuit Festival, el festival gay más grande del mundo. Y todo ello para celebrar la despedida de Santiago, que al día siguiente se casaba con Germán, su novio de toda la vida. Era un plan perfecto.

¿Qué podía salir mal?

48 horas antes
Comisaría central de Barcelona
Despacho del Comisario Mendoza

—¡Manda huevos con la progre esta de los cojones! ¡Joder! ¡Hostia!

El Comisario Mendoza colgó el teléfono con tanta fuerza que a la agente Rita, una nueva en prácticas, se le soltó el sujetador del susto.

—¡Agente! ¡Haga el favor de traer a Albano y Romina a mi despacho! —le gritó.

—¿Perdón, Comisario?

—¡Que me traiga al Inspector Álvarez y a la Inspectora Sabater aquí echando hostias!

—Sí, señor Comisario.

Rita avanzó por el pasillo preguntándose por qué llamaban «Albano y Romina» a los inspectores al mismo tiempo que intentaba volver a cerrarse el sujetador sin quitarse el uniforme pasando el codo por debajo del omóplato.

—¡Yo también hago yoga! ¡Es ideal! —le gritó una compañera de tráfico.

Mientras en toda la comisaría había una actividad frenética, el despacho de los inspectores Jorge Álvarez y Marina Sabater estaba en calma. Él escuchaba música con auriculares, los pies encima de la mesa y un ejemplar de *Men's Health* en la mano. Ella con cara de que leía algo interesante en su teléfono, pero Rita de dio cuenta de que estaba comprobando su cuenta de Tinder.

—Inspectores, el Comisario los espera urgentemente en su despacho.

—¿Cómo de urgente? —le preguntó Jorge Álvarez quitándose los cascos.

—Muy mucho —contestó Rita.

—Pues vamos, no sea que le dé un ictus —dijo Marina Sabater.

Algo raro flotaba en el ambiente, aunque con el desastre operativo de las elecciones, podía ser cualquier cosa. Cuando entraron al despacho vieron al Comisario con una sonrisa forzada a más no poder.

—A ver, siéntense —les ordenó—. Usted, Rita, no se siente, usted váyase y deje de hacer posturas raras, por Dios —añadió.

El Comisario se bebió un café de medio litro de un trago, se aclaró la garganta y les dijo:

—Acabo de colgarle el teléfono a la alcaldesa...

—¿A la nueva...? —le interrumpió Marina.

—¡A la misma! Y no me interrumpan...

—Perdón, Comisario.

—La cosa es esta: por lo del referéndum de los cojones tenemos la ciudad hecha un cristo. Desde Madrid amenazan con mandarnos hasta tanques como la gente se ponga a votar, y tenemos a todas las unidades desplegadas. Dispositivos de apoyo de toda Cataluña están llegando para hacernos de refuerzo porque no damos abasto, y un *conseller* me dice que se trae a media Ertzaintza si hace falta, pero que el referéndum se hace y que en menos de una semana por sus santos *collons* ya estaremos fuera de España.

—¿Necesita que nosotros le asistamos en alguna labor táctica de contenido sensible? —le ofreció el Inspector Álvarez.

—¡Sensibles mis huevos! —bramó el Comisario—. ¡Ustedes están aquí por lo de los maricones!

Martina se preguntó cómo narices había llegado a un cargo tan importante en Cataluña este animal de bellota de Valladolid. Misterios de la vida.

Lo de «los maricones» era el Circuit Festival.

—La alcaldesa quiere que lo gay vaya con mano de seda porque resulta que los maric... los homosexuales se dejan una pasta gansa estos días y su ilustrísima de mis cojones no quiere que se vean afectados por lo del referéndum porque me ha dicho que fíjate si pasa algo con los grupos ultras y se corre la voz y se escapan de Barcelona y no volvemos a ver un euro gay aquí en la vida, me ha dicho la muy incapaz. Y la alcaldesa, que sabe que ustedes son así...

—¿Así? —le interrumpió Marina.

—Que usted es gay, Álvarez —señaló al Inspector— y usted..., Marina, usted es mujer, que es casi lo mismo... y por lo tanto la alcaldesa me ha dicho que ustedes dos van a estar supervisando lo de los maricones, con perdón. La seguridad y cualquier incidente que se produzca en cualquiera de los eventos organizados esta semana serán dirigidos y coordinados por ustedes y su equipo.

—¿Vamos a tener equipo? —le preguntó Jorge.

—Sí, pueden ustedes disponer de Rita a tiempo completo —les contestó el Comisario.

—¿Rita es aquella que se está descoyuntando un hombro junto a la fotocopiadora? —quiso saber Marina.

—La misma —afirmó el Comisario—. Es un hacha en internet y ha sacado unas notas buenísimas en la Academia, de lo mejorcito de su promoción. Así que, pónganse en contacto con la guardia urbana, los servicios de emergencia, los organizadores y quien haga falta y, por favor, todo bien controlado, que la alcaldesa quiere que demos esa imagen europea de la diversidad, literalmente.

—Pues muy bien, Comisario, nos ponemos manos a la obra —dijo Jorge.

—Perfecto, manténganme informado, pero no me creen problemas estos días. No está el horno para bollos... Y si no es imprescindible, ni me llamen ¿entendido?

Los dos inspectores salieron del despacho del Comisario con el semblante serio. Jorge apretaba los puños indignado. Marina miraba el techo con cara de resignación y pensaba que últimamente resolvía más misterios en Tinder que en su trabajo.

—El país entero pendiente de Cataluña, un momento histórico —dijo Jorge—, una ocasión perfecta para demostrar nuestra pericia, nuestro nivel... ¿y nos mandan al Circuit?

—Calla, anda —le contestó Marina—, mira el lado positivo, que lo mismo de esta te sale novio.

—Y a ti un herpes, guapa.

Y justo en ese momento, Rita se estampó contra una detenida peruana a la que habían pillado robando en el metro vestida de Minion de un solo ojo.

48 horas antes
Madrid
Casa de Carla y Matías

En el corazón del Barrio de Salamanca a las siete menos cuarto de la mañana reina una paz como en pocas partes de España a esas horas. La gente bien no desayuna tan temprano y ni siquiera mandan al servicio a por el periódico. El servicio de la gente bien se pone a trabajar a las ocho en punto. Matías, recién duchado, abrió la ventana y dejó que el calor que ya se empezaba a notar le secase la piel. Pero hasta el quiosquero que estaba cuatro pisos más abajo oyó el grito.

—¡MATÍAAAAAAAAAAAAAAAAAS! ¿Me has metido en la maleta pistacho las sandalias de Jimmy Choo?

Matías abrió los ojos sobresaltado y recogió la toalla que se le había caído al suelo, dejándole completamente desnudo frente a las oficinas de un banco donde sí habían empezado a trabajar.

—Carla..., ¿tienes que gritarlo todo? Un día me matas del susto... ¿Qué sandalias quieres?

—Las que sacaba Rihanna en aquel videoclip en el que hacía el amor con su propia abuela en un supermercado de un sitio que parecía Marina D'Or y luego hacía explotar un autobús de monjas que eran todas dobles de Beyoncé.

—Me pones la tarea más fácil si me dices el color...

—Amarillas, pero no amarillas amarillas color pollo, amarillas más yema de huevo sin llegar al naranja.

—Carla, se nos está yendo la mano con las maletas... —resopló Matías mientras miraba la pared del vestidor de su hermana cubierta de arriba abajo de pares de zapatos y bolsos.

—De eso nada, una nunca sabe qué inoportunidades pueden pasar...

—No existe la palabra «inoportunidades».

—Sí existe, que la ha dicho Tamara Preysler en mi programa, y si ella lo ha dicho es que existe.

—Lo que tú digas, pero nos estamos pasando.

—No importa, que para eso viajamos en *business*, y como si queremos llevar una jaca cartujana, que tenemos franquicia de equipaje y hay mucha gente en los aeropuertos que no dan palo al agua y siguen cobrando...

Matías encontró al final las dichosas sandalias, fue a su dormitorio, se puso unos calzoncillos y un vaquero y avanzó hasta el final del pasillo, donde estaba su hermana.

—Carla, hermana, muchas gracias por venir conmigo, que ya me veía solo y abandonado en medio de los amigos e iba a ser terrible explicar que Julián me ha dejado por un bailarín exótico uruguayo.

—Ya, es supersorprendente. Yo todavía no lo entiendo...

—¿Que Julián me haya dejado? A mí no me cabe en la cabeza...

—No... que en Uruguay haya bailarines exóticos.

—Carla, por Dios...

—Oye, que el chófer de papá está aquí en media hora y mira cómo estamos.

—Yo ya casi he terminado, solo llevo dos maletas pequeñas y el bolso de mano.

—Luego seguro que te falta algo... —protestó Carla.

—Pues me lo compro.

—Pues es verdad...

—Listos entonces, vete llamando a Consuela para que nos baje todo esto al portal, que voy mientras al quiosco a comprar las revistas.

—Te espero dentro del coche, que con esta humedad se me riza el pelo y no quiero parecer una concejala de Podemos.

—Carla, que vivimos en Madrid, joder... que aquí no hay humedad.

—Da lo mismo, se me riza y punto. Y ya de paso entra al chino 24 horas y compra cualquier colonia barata en espray por si nos toca cerca en el avión alguien que huele mal o lleva poliéster.

—No sé yo si quitarme del medio contigo va a ser una buena idea al final —protestó Matías.

—Peor que tus sesiones en el Congreso de los Diputados no va a ser.

Matías no supo qué contestar a eso. Seguirle la corriente a su hermana igual no era una buena idea, pero es que tampoco se le ocurría nada mejor. Desde luego, peor que en Madrid no iba a estar, porque eso era casi imposible.

48 horas antes
Habitación de Ramón y Marijose
Hotel Barcelona Palace

Marijose iba en el ascensor encantada de la vida. A pesar del calor y la humedad (hay que ver cómo se le rizaba el pelo), subía a punto de darle una alegría enorme a «su Ramón». Las vacaciones en Barcelona estaban siendo un poco aburridas y ella no terminaba de encontrar la aventura, la excitación o lo que fuese en esta escapada. Dos días llevaban fuera del pueblo y solo se había hecho cuatro selfies, ella, que era la más moderna y mediática del pueblo, que tenía 300 seguidores en Instagram. Pero Ramón había insistido en que tenía que ser Barcelona y no Punta Cana, porque como era votante acérrimo del PP estaba convencido de que en menos de una semana Cataluña ya no sería España y era la última oportunidad de visitarla siendo todos «Una Grande y Libre».

—Igual que perdimos Cuba, ahora perderemos esto, Marijose. Hay que ir —le había dicho Ramón en una pausa para publicidad de Intereconomía.

Y Marijose estaba ya un poco harta de visitar «lugares emblemáticos» que españoles de pro habían dejado en Barcelona que serían importantísimos pero que sus amigas del pueblo no iban a entender porque eran un soberano coñazo y encima salían fatal en las fotos. Así que, ni corta ni perezosa, ella le iba a poner a las vacaciones la chispa necesaria. Porque Marijose era adicta a ponerle sal a la vida, como cuando le cambió a su marido el sobre de las elecciones del PP por el de Podemos. Lo que Marijose se rio en el colegio electoral no tiene nombre.

—Mujer, que votar es una ocasión solemne... Pero ¿qué te pasa? —le preguntó.

—Nada, Ramón, cariño. Entre el calor que me tiene tonta y lo solemne de votar, que me ha dado una risa nerviosa de na. Ponte al lado de la urna, que te hago un selfie, anda...

Marijose entró en la habitación como unas campanillas y le gritó a Ramón:

—Se acabó el aburrimiento, tesoro. ¡Nos lo vamos a pasar pipa!

—¿Ah sí? —le preguntó Ramón.

—Pues claro, cariño, espera a que te cuente...

Y se lo contó. Le contó que estaba hasta el flequillo rizado de tanto paseo y que, fíjate tú, en la recepción había conocido a dos chicos alemanes supersimpáticos y rubios de verdad que vendían unos bonos para un circuito. Marijose, que no entendía ni papa de alemán, había conseguido entender las palabras «baile», «piscina», «DJ» y «maromos». Esto último no se lo dijo a Ramón, que era muy celoso, como buen macho mediterráneo, pero ella estaba decidida a volver al pueblo con unas fotos que, literalmente «iban a dejar to locas a la Merche y la Encarna». Marijose era capaz de matar por unos likes en Facebook, y sus vacaciones iban a ser lo más, se pusiera como se pusiera Ramón. Por eso les había comprado dos bonos a los alemanes, que le dieron dos pulseras muy modernas con «microchis» para acceder a todo porque Marijose iba a ser la Paris Hilton a costa de lo que fuese.

—¿Y esto cuándo es? —quiso saber Ramón.

—Pasado mañana, y fíjate si son modernos, que me van a mandar unos guasaps al móvil para decirme la hora y el lugar donde tenemos que estar para coger el autobús. Eso sí, tenemos que llevar ropa de playa y eso. ¡Ay, Ramón! Tú y yo en una piscina moderna con DJ y todo... ¿Te imaginas que traen al Kiko Rivera?

Ramón no le prestó mucha atención porque estaba indignado de la cantidad de canales... ¡en catalán! que había en la tele. Y de todas formas, hasta él estaba aburrido de los paseos. Un circuito en autobús y terminar en una piscina de esas de lujo con un buen gin-tonic en la mano tampoco era tan mala idea. Por lo menos estarían fresquitos.

48 horas antes
Monasterio de San Judas Tadeo
Zaragoza

El padre Damián estaba batiendo el récord de sudores en una sola sesión de entrenamiento en el gimnasio del monasterio. Primero había jugado un partido de fútbol sala con los alevines y luego había tenido una clase de gimnasia con un grupo de *boyscouts* de Irlanda que habían venido a unas convivencias. El Padre Damián era el favorito de los alumnos, cosa que siempre les pasa a los profesores jóvenes de gimnasia.

—Una flexión más por el Padre Ángel...

—Otra por Sor Lucía Caram...

Y así hasta doscientas personas, una por cada abdominal (Dalai Lama incluido, pero esto no se podía contar), a las que el Padre Damián admiraba y dedicaba cada esfuerzo. Hay quien se motiva con una talla de ropa; él, sin embargo, conseguía darlo todo pensando en sus seres más inspiradores. Pero ese atardecer, entre flexión y flexión, notaba que había algo que no le dejaba concentrarse completamente.

La duda le asaltó en las duchas. Algo le había parecido raro de camino al vestuario y, al salir, se dio cuenta de lo que era. Algo que no estaba en el sitio donde debía estar. Se vistió apresuradamente para ver si su mente le estaba jugando una mala pasada. Pero no. Aquella Biblia estaba dentro de una papelera. Al principio se indignó por la evidente falta de respeto, luego se indignó más al ver que la Biblia estaba llena de anotaciones con una letra que no conseguía entender y unos símbolos que no había visto en su vida. Pero lo que más le inquietó fue lo que estaba escrito sobre la última página con un rotulador rojo:

«A LA SANTIDAD POR LA SANGRE.»

«Pero... ¿esto?», pensó

Y lo curioso del caso es que la caligrafía de las letras mayúsculas sí le sonaba, pero no sabía de qué. Y entre rosario y salmo se pasó la tarde dándole vueltas a la cabeza. Al salir de su habitación de camino al comedor iba tan metido en sus pensamientos que se estampó con un chiquillo.

—Padre, ¿ha visto usted al padre Eduardo? —le preguntó el chico—. Es que le necesitamos porque no tenemos a nadie para tocar el kumbayá, y como él es el profe de música...

—No le he visto, hijo —le respondió—. Mira a ver si está en la biblioteca, que suele dedicar las tardes a la lectura. Y a ver si no corremos de esa manera, eso para el campo de fútbol mejor...

El chaval se fue corriendo sin dar las gracias y de nuevo el Padre Damián se sintió incómodo al pensar en el Padre Eduardo. No por nada en concreto, pero inquieto. El Padre Eduardo era un hombre solitario y muy poco hablador. Sus clases de música tenían fama de ser duras y difíciles, y los niños no se encontraban demasiado a gusto en su presencia. Hace un par de años, cuando el Padre Damián llegó al monasterio, intentó que el Padre Eduardo hiciera algo de ejercicio, porque al ser tan bajito y tan grueso, mal no le iba a venir, y los accidentes cardiovasculares aparecen cuando uno menos se lo espera. Pero el Padre Eduardo no solo se negó, sino que le contestó que el deporte era un mal de la sociedad dedicado a cultivar el narcisismo de las mentes sin espíritu. El Padre Damián le intentó responder que el ejercicio y el esfuerzo eran otra forma de alcanzar un objetivo en la vida, pero no hubo manera.

Aún más inquieto se sintió cuando llegó la hora de la cena y la silla del Padre Eduardo estaba vacía. Nadie le había visto desde el mediodía, y a última hora el Padre Juan Jesús les informó de que el Padre Eduardo había salido para Valencia porque la única tía que le quedaba viva yacía en su lecho de muerte, y acudía a darle el último abrazo.

«¿El Padre Eduardo tenía una tía? —se preguntó—. ¿No me dijo una vez que no le quedaba nadie en este mundo excepto nuestro Señor?»

Esa noche el Padre Damián no pegó ojo. No paró de dar vueltas. Lo intentó todo, incluso otros doscientos abdominales. Y nada. Algo iba mal con el Padre Eduardo. Pensaba en él, en la Biblia, en la tía moribunda... y no se sentía culpable por estar pecando de malos pensamientos sobre un compañero.

De rodillas junto a su cama, se encomendó al Señor pensando que al día siguiente intentaría resolver el misterio de la Biblia y del Padre Eduardo, porque estaba completamente seguro de que le había dicho que no tenía familia, y no hay razón para mentir sobre algo así. Poco se imaginaba que estaban a punto de comenzar las 48 horas menos cristianas de su vida.

48 horas antes
Chueca, Madrid
Piso de Bianca y Jasmina

Bianca y Jasmina son transexuales. Una de Colombia y la otra de Venezuela. Dos mujeres de bandera a las que había sonreído la fortuna gracias a un billete de Bonoloto premiado que compraban todas las semanas en una administración de la calle Hortaleza de Madrid. Al ganar aquel premio, ambas abandonaron la peluquería donde trabajan y abrieron su propio negocio en el que solo contrataban a mujeres transexuales. Esto, por supuesto, las había convertido en noticia, y ellas sabían que aparecer en la prensa era la mejor publicidad del mundo. Además, un buen titular era importantísimo, y Bianca era experta en titulares:

—Me vas a perdonar, pero no somos todas putas. Nosotras somos peluqueras empresarias y superemprendedoras con nuestro negocio, nuestros impuestos, nuestras empleadas guapísimas, nuestros papeles en regla y nuestro pelo maravilloso. Mira qué pelo, cariño, qué pelooooo...

El periodista que las estaba entrevistando para una nueva edición de *Lo que nadie te cuenta* del Canal Seis no salía de su asombro. Entre otras cosas porque el muchacho estaba felizmente casado y no podía decidir cuál de las dos le gustaba más, porque eran dos esculturas de mujeres.

—Hoy os pillamos preparando las maletas —les dijo.

—Claro, cariño, hemos trabajado mucho este año, mi amor, ni te imaginas la cantidad de mujeres que quieren unas extensiones como las nuestras... ¡Somos éxito, mi vidaaaaa! —exclamó Blanca intentando meter catorce pares de tacones de diferentes colores en una maleta mínima.

—Nos vamos al Circuit —le hizo saber Jasmina.

—¿Y eso qué es? —preguntó Iván, el periodista.

Bianca y Jasmina se miraron y gritaron al mismo tiempo:

—¡LA FIESTA DE LAS FIESTAS, MI AMOOOOOR!

—Bueno, ¿pero en qué consiste eso? —les insistió, al mismo tiempo que pensaba en que lo que no era la fiesta de las fiestas era tener mellizos y no haber pegado ojo desde hacía dos meses.

—Pues mira, cariño, el Circuit es una fiesta donde toda la gente guapísima del mundo va a Barcelona para vivir unos días «apppppassssionanteeees» de fiestas, playas, eventos culturales, porque no todo va a ser fiesta...

—¿Hay eventos culturales? —se sorprendió Jasmina.

—¡Tú calla! Claro que hay eventos culturales: exposiciones, ir al gimnasio...

—¿Ir al gimnasio es cultura? —señaló Iván.

—Y a la discoteca, mi vida, se llama cultura de club... —contestó Bianca.

—¿Y qué esperáis vosotras de este viaje?

—Un novio, por favor, un novio —confesó Jasmina sonrojándose.

—Mira —le interrumpió Bianca— esta, que es muy romántica y está muy loca... ¡qué novio ni que novio! ¡Bien de chulazos! ¡Bien de fiesta! ¡Uaaaaaaaaaaaaaah!

En ese momento, Iván se dio cuenta de que le gustaba más Jasmina, que era más romántica y menos explosiva, a pesar de medir metro ochenta descalza y tener esas tetas. ESAS TETAS. Así, en mayúsculas.

—No hay ningún sitio en el mundo con tanta gente beeeeellaaaa al mismo tiempo —seguía Bianca—, no hay una fiesta mejor... y, claro, luego está la *pool party*, que es lo máximo, mi vidaaaa.

—¿La qué? —preguntó Iván, ya absolutamente enfocado en las tetas de Jasmina.

—¡LA POOL PARTY! ¡Lo más increíble que has vivido en tu vida! Una fiesta en un parque acuático con musicón, chulazos, frenesí. Es taaaaan divertido, cariño. Por cierto... ¿he metido los tangas? ¡No, no he metido los tangas! —gritó Bianca.

—Bueno —dijo Jasmina—. Es una fiesta en un parque acuático que dura todo el día y la verdad es que lo pasas muy bien, la música suele ser buenísima y se conoce a mucha gente.

—¿Te ha salido novio alguna vez allí? —le preguntó Iván.

—¿Novio? Si son todos gays, por favor...

En ese momento, Iván se imaginó a sí mismo sin mujer y mellizas completamente musculado y embadurnado de aceite siendo el único heterosexual de la fiesta y llegando a una barra donde le estaría esperando Jasmina en tanga con un daiquiri en la mano y unos tacones tipo *50 sombras de Grey*. Ella le vería, se enamorarían y...

—Yo lo que quiero es un chico como tú —le soltó Jasmina riéndose.

—¿Perdona? —Iván no daba crédito a lo que oía.

—Sí, alguien más normal, es que así tan musculosos y con tanto tatuaje no me gustan, y a mi madre no le iba a parecer bien...

«Fíjate, una mujer con valores», se dijo a sí mismo Iván, ya a punto de llamar al abogado para pedir el divorcio. Pero en ese momento entró Bianca como un huracán en la salita gritando:

—¡Estamos listas, cariño! ¡Divinas y ganadoras! ¡Va a ser el Circuit de nuestras vidas!

Ni ella misma se imaginaba (y mira que Bianca tenía imaginación) lo ciertas que iban a resultar aquellas palabras.

SEGUNDA PARTE
24 horas antes

24 horas antes
Interior de la Sagrada Familia
Barcelona

El Padre Eduardo no dejaba de sudar. Medir metro setenta y estar cubierto de pelo no ayudaba. Pero todos los males se le pasaron cuando llegó a la Sagrada Familia, que era la máxima expresión de la grandeza de Dios y, como la obra del Señor, nunca acababa. Pasó unos minutos intentando alcanzar con la mirada el final de la última torre y sintió un ligero mareo que debía ser consecuencia, por supuesto, del éxtasis religioso que estaba experimentando. Necesitó sentarse a un lado de la entrada principal y bebió un poco de agua hasta que consiguió aclarar la visión por completo. Después, se dirigió a la parte de las visitas guiadas y esperó a que tocara el turno de su grupo. Al llevar el alzacuello no obtenía más que sonrisas inocentes y miradas de aprobación de todos los que se cruzaban en su camino. Si ellos supieran...

Y precisamente por eso, porque nadie sospecha de un cura dentro de una iglesia, no le fue difícil escaparse del grupo y llegar hasta una pequeña capilla que aparecía en un plano que le había robado a una turista japonesa. Allí iba a encontrar la paz y el silencio necesario para encomendar su misión al Señor. Tenía que hacerlo a lo grande. La capilla del monasterio no era suficiente. Un sacrificio grande como el suyo merecía el mejor decorado posible.

—Disculpe, padre, ¿me puede decir qué lleva en el maletín?

Al Padre Eduardo se le cambió el color al ver a un vigilante jurado de casi dos metros con el dedo señalando al maletín.

—Hijo, ¿qué va a llevar un sacerdote en un maletín?

—Ya, Padre, pero las normas son las normas, necesito que me lo abra —le contestó el segurata.

El Padre Eduardo abrió el maletín donde tenía los siguientes objetos:

- una navaja suiza multiusos,
- una botella de agua mineral,
- un paquete de kleenex (marca blanca),
- una Biblia,
- una muda limpia,
- veinte botecitos de GHB mezclados con cicuta.

—Perdone, Padre, pero ¿estos botes?

Y al Padre Eduardo se le apareció la Virgen o algo parecido y le explicó al muchacho que aquellos botes eran de agua del Monasterio de San Judas Tadeo y que los traía para presentarlos al Señor y que los bendijera. Porque un agua bendita tenía muchísimas más propiedades curativas que un agua de monasterio monda y lironda. También le explicó que en su comarca había mucha abuelita enferma y que él había venido desde Zaragoza para volver a casa con el agua milagrosa que diese consuelo a las enfermas en sus últimas horas. El guardia de seguridad, perplejo, se emocionó y le dijo:

—Hay que ver la gran labor que hacen ustedes. Y pensar que igual, después de las elecciones, estos salvajes se ponen a quemar iglesias... como ya no seremos España... ¡Qué más da!... Que sepa, Padre, que yo siempre les marco la casilla en la declaración de la Renta...

El Padre Eduardo puso cara de «que el Señor sea contigo, hijo mío», pero en realidad estaba pensando que era imposible ser más idiota que aquel hombre. Por supuesto, el segurata le acompañó hasta la misma puerta de la capilla y le dijo que se quedaba allí para que nadie le molestara en el proceso de bendición de las aguas milagrosas. El sacerdote franqueó la puerta y se quedó maravillado ante la grandiosidad de la capilla.

—Ya estoy aquí, santísimo... —murmuró emocionado.

Se inclinó ante el altar y sacó de la bolsa la navaja, los kleenex y los veinte botecitos asesinos y los alineó delante de una imagen de san Judas Tadeo.

—Ayúdame en la misión, Señor. Ayúdame a que el mundo entienda que para ver la luz debemos atravesar los dragones de la oscuridad y que tú me has señalado para que empuñe la espada que los destruya. Ayúdame a erradicar la abominación sodomita de la Tierra. Ayúdales a entender que solo la muerte y el averno los espera si siguen viviendo el pecado más horrible de todos. Ayuda a las pobres almas que van a morir a llegar a tu vera, acógelos bajo tu manto y ofréceles el consuelo que solo tú puedes ofrecer.

Y mientras pronunciaba estas palabras, se abrió la camisa y comenzó a cortarse en el pecho con la navaja.

—A la santidad por la sangre... —gimió—. Esta es mi ofrenda, este es mi sacrificio...

Se puso a llorar, pero no se dejó llevar. Sacó un kleenex para taponar la herida que le sangraba.

—Si estoy equivocado, Señor, hazme una sola señal y cejaré en mi empeño.

El Padre Eduardo miró arriba, abajo, a la derecha y a la izquierda y no vio ninguna señal que el Señor le enviara para que no continuara con su misión.

Una vez limpio de sangre, lo recogió todo y salió por la puerta de la capilla.

—¿Todo bien, Padre? —le preguntó el segurata.

—¡Más que bien, hijo! Gracias a tu bondad muchas almas encontrarán la paz que anhelan. Que tengas buen día.

El vigilante pensó en las ganas que tenía de llegar a casa para contárselo a su madre, mujer devota donde las hubiese. Le iba a encantar e iba a estar muy orgullosa de él.

En realidad, su madre, 24 horas después, lo que iba a estar es completamente horrorizada.

24 horas antes
Tienda de cosméticos, Plaza Cataluña
Barcelona

Marijose estaba entre la excitación adolescente más saltarina y el terror absoluto. Y cuando ella se ponía nerviosa necesitaba cantar el «Colgando en tus manos» de Carlos Baute. Aunque estuviese en un ascensor gigante. Con cinco turistas japonesas y sus respectivos maridos, que no paraban de hacerle fotos y vídeos mientras ella berreaba lo de «No me importa qué dice el destino, quiero tener tu fragancia conmigo».

«De esta, Ramón me deja», pensó al salir a la calle y respirar hondo.

Había tenido una bronca monumental con Ramón porque se negaba a salir del hotel diciendo que hacía muchísimo calor y estaba esperando para ver un partido de fútbol que empezaba en media hora. La paciencia de Marijose se acababa por momentos. Había renunciado a Punta Cana por el coñazo de su marido, pero lo que no iba a hacer es quedarse quieta en la habitación mirando el Instagram de

Kim Kardashian y esperando a que Kim le contestase a uno de los siete mil comentarios que le había dejado. Por lo tanto, hizo lo que cualquier mujer inteligente que se supiera de memoria todas las temporadas de *Sexo en Nueva York* haría.

—Ramón, que te cojo la tarjeta y me voy de compras, que lo sepas.

Ramón, por supuesto, no se enteraba. Estaba demasiado indignado llamando «comunista de los cojones» a una de Podemos que decía que ella iba a respetar el resultado de las elecciones catalanas y que si tenía que viajar a Lérida con pasaporte lo haría encantada. Comunista igual no era, pero iba fatal peinada. ¿Cómo se van a ganar unas elecciones con esos pelos, por el amor de Dios?

Llegó a Plaza Cataluña hecha una furia, pero los males se le pasaron prontísimo cuando vio la versión gigante de su tienda de perfumes, cremas y maquillajes favorita de la que, por supuesto, no había una sucursal en su pueblo. La Encarna y la Inmaculada podían seguir comprándose los pintauñas en el chino del pueblo, que ella se iba a poner de Diores y Loreales hasta las cejas.

Cuando bajaba por las escaleras mecánicas, no pudo evitar oír una conversación entre dos chicos musculados, bronceados y rubios no naturales (¿Serán tronistas?) que iban justo delante de ella.

—Pues nada, chico, que ya casi ha llegado el día, mañana mismo nos vamos al Water Park a que te bautices en el Circuit, que ya era hora... ¿Estás nervioso?

Fue oír la palabra «Circuit» y acordarse de los dos extranjeros que le vendieron las pulseras en el hotel y que se parecían sospechosamente a estos dos. Y Marijose, que era un poco la Jessica Fletcher de su pueblo, muy discretamente los persiguió por toda la tienda y llegó a las siguientes conclusiones:

- El Circuit no era un circuito turístico en autobús por la ciudad que terminaba en un club de playa donde podría estar pinchando Kiko Rivera y podría hacerse un selfie con alguna famosa de la tele.
- El Circuit era una fiesta de mariquitas. Así de claro.
- Había un cóctel nuevo que por lo visto los volvía locos a todos. Se llamaba «chorri» y parecía que era la bebida de moda.
- Según el chico musculado que no llevaba mechas pero tenía unas cejas iguales a las de Angelina Jolie, no había problema en que el otro chico llevara a una amiga a la fiesta de la piscina gigante porque «las mariliendres» son bienvenidas.
- La pulsera que había comprado, aparentemente, era una entrada para la fiesta «de mariquitas» más grande de todas las que se celebraban en un parque acuático donde cabían decenas de miles «de mariquitas».

Por supuesto, entró en modo pánico imaginándose la cara de Ramón y, después de asegurar a los dos chicos musculosos que no los estaba persiguiendo y que no era necesario llamar a seguridad, se metió en un baño y volvió a cantar la de Baute para espanto de una señora de Murcia y su hija que estaban en el lavabo quejándose de los precios de las mascarillas antiojeras. Cuando se tranquilizó un poco al final del tercer estribillo, agarró el teléfono como quién se agarra a un pingüino en Benidorm en agosto y llamó a su amigo Angelito, el mariquita de su pueblo. Porque ella tenía amigos gays, porque una no es moderna y sensible de verdad si no tiene amigos gays, que también son muy sensibles y entienden mucho de arte.

—Angelito, por Dios, que estoy metida en un lío...

—Oy, oy, oy hija, con lo exagerada que eres... A ver... ¿qué has hecho?

—Que he comprado unas entradas para Ramón y para mí para la fiesta de maricones más grande del mundo.

—A ver, Marijose, júrame por el sepulcro de tu prima Paqui que no has bebido.

—¡Te lo juro! ¡Por la prima Paqui y su hermano el yonki, que en gloria estén!

—Pero, mujer, ¿tú no estabas en Barcelona con Ramón viendo museos?

—Y aquí estoy, pero por un despiste de los míos he comprado unas entradas para una fiesta en una cosa que se llama Circuit.

—¿Me estás diciendo que vas a ir al Circuit? ¿Al Circuit? ¿En serio al Circuit?

—Angelito, como digas una vez más la palabra Circuit te arrastro viva, por Dios, que estoy que no sé qué hacer...

—Ramón en el Circuit —dijo Angelito sin parar de reír—. Es un poco como Paris Hilton en una biblioteca.

—No lo entiendo —se quejó Marijose.

—Hija, mujer, pues que es raro. Que hay que ver que te has casado con un buen hombre, pero llega a ser más facha y no nace. Y vas tú y le metes entre veinte mil hombres musculosos casi desnudos con sus amigas de cuerpos espectaculares casi desnudas, y venga la fiesta, y venga el meneo, y que si nos frotamos todas con todas...

—¡Angelito, por favor, que se me va a rizar el flequillo de la angustia!

Pero, claro, Marijose, que era todo furor, no pudo evitar escuchar lo de «veinte mil hombres musculosos casi desnudos» y se imaginó a sí misma hecha una odalisca de selfie en selfie con maromos cachas. Y se imaginó la cara de la Aurora y la Sandra muertas de asco en el pueblo, y eso no tenía precio. Como aquel videoclip de la Paris Hilton en la playa. Igualito.

Y ahí, mientras hablaba con Angelito, comenzó a maquinar su plan. Ella, que le ponía chispa a la vida complicando la existencia del pesado (pero buena persona) de Ramón, tenía por delante la aventura de su vida. Una hecatombe de macizos en una piscina. Música discotequera. Seguro que habría barra de chupitos y mojitos. Y gogós. Y megatrón. Y rayos láser. Y de todo.

Ahora el misterio consistía en ver cómo narices le engañaba a Ramón y conseguía llevarle a la fiesta de la piscina sin que se enterase. Porque, las cosas como son: a Ramón los mariquitas no le hacían ninguna gracia. Aún recuerda cuando dijo «prefiero tener un hijo de izquierdas antes que maricón» en la boda de su prima Puri. Y también recuerda cuando el hermano de Puri, que resultó ser gay, le dijo que él prefería «follarse a un puerco espín en celo antes de tocarle a Ramón con un puntero láser». Menuda se organizó en la boda. Qué bochorno.

Angelito seguía hablando y ella empezaba a ver las cosas claras. Ramón estaba a punto de cumplir los 35 y ella acababa de cumplir los 30. Era la ocasión perfecta para darse una fiesta salvaje como esas que salen en las películas americanas donde todos se emborrachan y siempre hay un chino que por accidente le hace el amor a una gallina. La clave era que Ramón no se enterase de que la fiesta era «la fiesta gay más grande del mundo». Esa era la cosa.

—Bueno hija, no te alteres tanto, que al final la sangre nunca llega al río, y si llega, pues te divorcias y lista —le aconsejó Angelito.

Pero ella se rio con lo del divorcio. Se dio cuenta de que solo necesitaba tres cosas para tener a Ramón donde ella quería y como ella quería: un liguero, unos tacones negros y un tanga con la bandera de España. Aun así, antes de despedirse de Angelito... se lo tuvo que preguntar.

—Oye, ¿qué coño es una mariliendre?

Angelito ya había colgado. Pero daba igual.

Minutos más tarde se enteró de lo que era una mariliendre entrando a la sección de lencería de unos grandes almacenes (sí, esos grandes almacenes) buscando en Google.

—Tiene narices que llevo toda la vida siendo una mariliendre y yo sin saberlo —se dijo a sí misma sintiéndose más moderna que nunca.

Aparte del conjunto de lencería para dejar noqueado a Ramón, necesitaba un biquini y unos tacones nuevos. Se le pasó por la cabeza comprarse un pareo, pero pensó que no hacía falta porque ella tenía un culo maravilloso, libre de celulitis.

Media hora después, estaba hecha un lío en el probador. Se había puesto veintisiete biquinis, trikinis y demás combinaciones y nada le convencía, y estaba a punto de volver a cantar la de Baute, pero se lo impedían las lágrimas. Hasta que oyó la voz salvadora.

—El rosa coral no es tu color, cariñoooooo...

Marijose miró hacia arriba y se encontró con dos mujeres como las del desfile de Victoria's Secret. Marijose se enteró de que existía ese desfile porque sorprendió un día a Ramón tocándose sus partes viendo unas fotos en internet. Le montó tal pollo que, desde entonces, cada vez que Ramón ve un ordenador se santigua y sale corriendo. Como diría su tía Angelines, Marijose estaba viviendo una epifanía.

—¿Cómo? —preguntó Marijose.

—¿Qué te pasa, bonita? —dijo la otra chica, la de las tetas más pequeñas.

—Pues mira, que resulta que tengo que encontrar un conjunto sexy de putilla para pegarle mañana por la mañana tres polvos a mi marido. Porque vamos a ir a una fiesta gay en una piscina pero no quiero que se entere porque es muy de derechas, y si mi Ramón hace el amor en ayunas, se queda como amamonao durante unas cuatro horas en las que no se entera de nada y, claro, yo quiero ser moderna y quiero ir a esa fiesta..., que estoy harta de tanto pueblo y tanto jugar a la brisca, que estoy en la flor de la juventud y se me está yendo la vida...

Y se puso a llorar con un berrinche que dejó a las otras dos anonadadas, que se arrodillaron junto a ella en el probador y le ofrecieron unos kleenex que olían a culo de bebé.

—No te preocupes, mi amoooooooor, nosotras estamos aquí y te vamos a ayudar. Te vamos a dejar hecha una diosaaaaaa para tu marido... y mañana os venís con nosotras porque... ¡nosotras también vamos a esa fiesta! ¿Qué te pareceeeeeee?

Marijose se puso en pie de golpe, se limpió las lágrimas y se atusó el pelo como cuando una se da cuenta de que tiene enfrente a Ricky Martin y les dijo:

—¿En serio?

—Pues claaaaaro, cielo. Desde ahora somos tus super mejores amigas. Tú no te preocupes de nada...

—¡Ay, que ilusión!... Me llamo Marijose...

—Divinaaaaa, Marijose; yo soy Bianca, y esta es Jasmina.

—Ay..., encantada, por favor..., cómo son las coincidencias...

Si le llegas a contar a Walt Disney lo que han cambiado las hadas madrinas en este siglo, el hombre se vuelve a morir del pasmo.

24 horas antes
Hotel W
Suite de Carla y Matías
Barcelona

—No, no, no, por favor, no —gimoteó Matías— esto no...

Carla se quitó las rodajas de pepino de la cara y le dijo a la facialista sueca que ya podía marcharse. No había cosa más molesta en el mundo que intentar un tratamiento de belleza intensivo mientras un bebé llora, un gato maúlla o tu hermano mayor lloriquea en una suite de lujo andando en círculos como un desquiciado.

—¿Se puede saber qué pasa? —le gritó a Matías—. ¿Tú no sabes que los sustos provocan una cantidad de arrugas horrorosa? ¿Quieres una hermana que parezca un Sharpei, Matías?

Matías respondió al grito de Carla quedándose paralizado en el centro de la suite, en calzoncillos y calcetines y con la cara de terror más grande que Carla había visto en su vida. Matías sujetaba un iPad y lo señalaba como si le estuviese quemando la mano. Y en ese momento sonó su teléfono móvil.

—¡Si es mamá no cojas, por favor! ¡No lo cojas! —le gritó.

Y el teléfono móvil seguía sonando. Sonó tanto que Matías, en un ataque de pánico, se lo arrancó a su hermana de la mano y lo lanzó por la ventana impactando contra una diseñadora sénior de una multinacional española de ropa (sí, esa que estáis pensando) que se estaba intentando quitar una espinilla de la ingle. Gracias a Dios que la suite estaba en el primer piso, que si no la mata, y vaya usted a saber qué hubiera sido del futuro de la pronto moda española.

—¡Matías, Virgen Santa!, dame ese iPad ahora mismo o te juro que me cojo un taxi y me voy a Sotogrande y no me ves el pelo en lo que queda de verano.

Matías se acercó con los ojos vidriosos y le entregó el iPad. En portada de uno de los periódicos más cañeros y leídos de España (de nuevo, ese que estáis pensando) había un titular gigantesco que decía:

«MI HISTORIA DE AMOR GAY CON UN
DIPUTADO DEL PP EN EL ARMARIO»

Y debajo del titular una foto íntima de Matías abrazado a Julián, su exnovio (el que le había abandonado por un bailarín exótico uruguayo). En ese momento, sonó el teléfono de Matías, y este, presa del pánico, intentó saltar sobre él para lanzarlo también por la ventana. En la pantalla aparecía la palabra «Mamuchi». Pero Carla fue más lista: le bloqueó con un bolsazo (de marca) y llegó antes. Y contestó.

—Mami, hola, ¿qué tal? Mira, mamuchi, que estamos siendo evacuados del hotel porque resulta que una loca le ha prendido fuego a la habitación de al lado y ahora mismo los bomberos nos están sacando por una escalera de nuestra suite del piso 23... Mami, que no te oigo nada... mami, que las llamas se acercan y no te puedo atender... Mami... que se va la cobertura... Ay, muchas gracias, señor bombero... Ay, por Dios, lo rápido que arden las cosas hoy en día... mami...

Y colgó. Matías se quedó muerto con lo bien que mentía su hermana.

—¿Ves, cuqui? Ya está —le dijo a Matías.

—¿Cómo que ya está? —le contestó—. Los vamos a matar del disgusto. Papá se muere.

—Hijo, de verdad, a veces eres muy de bofetón. ¡Qué se va a morir papá! ¡Papá lo sabe todo, mendrugo!

A Matías la palidez le invadió el rostro. Carla miró al techo exasperada, se arrancó una tira cierraporos de la nariz y se acercó a su hermano.

—Cariño, antes o después íbamos a tener que hablar de esto... Amorcete, que papá y mamá lo saben todo desde hace muchos años y no tienen ningún problema. Somos una familia moderna llena de enigmas, querido hermanito. Que aunque tú no lo sepas, papá y mamá llevan años votando en secreto al PSOE, lo que pasa es que como tú eres tan integrista para lo tuyo y tan del partido, pues les daba cosa decirte que eran rojos y que sabían que eras gay. Porque un día en el spa mamá me dijo que tú eras gay, que es muy distinto de ser maricón.

—¿Mamá dijo la palabra maricón? —preguntó Matías.

—Pues claro, bobo. Mamá lo que no quiere es que te líes con un camarero o algo así. O con un peluquero. Imagínate el espanto. Porque mamá será de izquierdas, pero es muy clasista; ella espera ilusionada que le presentes un día a un buen chico licenciado en Derecho en Deusto.

—Me dejas sin palabras, Carla.

—Pues casi mejor, que cada vez que hablas la cagas... Mira, es que desde que te has hecho político estás superrrraro. Con lo contentos que estábamos todos cuando terminaste Arquitectura, que ya nos veíamos presumiendo de chaletazo ultramoderno rollo Joaquín Torres delante de todas las amigas... y va y te da por meterte a político de derechas, con lo que te ha gustado toda la vida un hombre con barba, por favor... Estaba claro que esto iba a terminar en desastre. Y otra cosa: por el partido no te preocupes; fíjate cómo es la cosa que Mariángeles, tu compañera de escaño, lleva pidiendo dos años a san Antonio que te consiga un buen novio, y si es del Opus, pues mejor. Todo el partido lo sabe y están encantados, Matías, que si fueras negro estarías rapeando, quemando comisarías y dejando embarazada a Nicki Minaj, que cuando te da por algo, te da muy fuerte...

Matías se quedó petrificado intentando asimilar toda la información que su hermana le había dado en menos de un minuto.

—¿Y ahora qué hago? —preguntó.

—Pues mira, de momento vete al spa media hora y pide que te exfolien o algo, date un masajito y cuando subas ya se me ocurrirá algo. Y no te preocupes, que con esta pinta de pija insulsa que tengo, en realidad soy una máquina de la manipulación...

—Carla, ¿pero qué me estás contando?

—Lo que oyes. Y ya que estamos sincerándonos, solo una cosa más...

—¿Puede haber algo peor?

—Sí —le respondió su hermana muy seria.

—Suéltalo.

—Mira que es una cosa dura...

—¡Que me lo digas! ¡Peor que esto no puede ser!

—Mamá ha votado a Podemos.

—¿Cómo?

—Lo que oyes. Y ahora vete al spa y vuelve en una hora. Y deja de llorar, por favor, que lo de Podemos no es tan fatal con la que se te viene encima. Lo que os gusta un drama a los gays, *please.*

Una hora y media más tarde

Matías no había ido al spa porque la ansiedad le estaba comiendo vivo. Se había comprado unas gafas de sol y una gorra en el hotel y había salido a buscar un quiosco. Compró el periódico, lo dobló por la mitad y se dirigió a una cafetería de esas que te cascan 4 euros por un café (de nuevo, la que estás pensando). Se sentó en la última mesa de cara a la pared y comenzó a leer su historia. Bueno, su historia reinterpretada por la rata traicionera de su exnovio. Y todo ello con ocho imágenes íntimas (gracias a Dios siempre salían vestidos) de vacaciones en Praga, de compras en Londres y abrazados en la escalinata de la Plaza de España de Roma imitando a las modelos de un desfile de la tele.

«¡Será cabrón!», pensó Matías.

Estaba claro que aquello era por dinero. Julián, de profesión actor en paro, llevaba unas semanas muy raro diciendo que no podía quedar. ¡Cómo iba a quedar si lo que estaba haciendo era quedar con el director del periódico para vender su historia! Porque detalles no le faltaban, aunque todo estaba muy exagerado y con una redacción que haría sonrojarse al mismísimo Walt Disney. Matías jamás le había pedido matrimonio. ¿Cómo narices te vas a casar con tu novio si nadie sabe que eres gay y eres diputado de un partido de derechas? Bueno... resulta que sus padres sí lo sabían. Por Dios, qué sudores.

Cuando volvió a la habitación del hotel, se encontró a Carla acompañada por tres personas. Y de nuevo, ante la presencia de extraños, se quedó paralizado. Su hermana, hecha un torbellino, no paraba de mover las manos mientras hablaba.

—Cariño, te presento a Jean Paul, el mejor barbero hipster de Barcelona; a Benito, que es el colorista de las estrellas, que lo ha dicho el *Marie Claire*; y a Chitina, la estilista del programa ese de la tele que imita al mío en el que cambian a una choni de polígono y la convierten en una choni de polígono con el pelo liso y faldas de flores compradas en Malasaña. ¡Te vamos a hacer un cambio radical! ¡Y eso no es lo mejor!

—¿Qué... es... lo mejor? —preguntó Matías aterrorizado.

—Eso te lo cuento cuando nos quedemos solos... y te va a encantar.

Cuatro horas después

Carla no le pillaba el punto a lo de *50 sombras de Grey* y empezaba a sentirse frustrada. Había intentado masturbarse numerosas veces leyendo el libro y no había manera. Estaba pensando en lo incómoda que es la parafernalia sexual del señor Grey, cuando la puerta de su habitación se abrió de par en par y apareció Chitina emocionada.

—Pues aquí tienes al nuevo Matías —gritó la estilista como si estuviera anunciando a la ganadora del Óscar a la mejor actriz secundaria.

—¡AHHHHHHHHHHHHHH! —bramó Carla—. ¡Es superideaaaaaaaaaal!

Y ahora lo explicamos. Matías era un hombre fornido, de metro ochenta, con una mata de pelo negro y una barba que le daban un aspecto de leñador con estudios muy a su pesar. Matías siempre iba vestido o de El Ganso o de Massimo Dutti, ese era el estilo y de ahí no se movía. Resumiendo, clásico y correcto a más no poder (es decir, aburrido) pero con esa imagen de padre guapísimo que tanto gustaba a las votantes conservadoras. Por eso, cuando Matías se enfrentó al espejo junto a su hermana, fue incapaz de articular palabra.

—No parezco yo... —es todo lo que pudo decir.

Y es que el Matías que tenía delante era directamente otra persona. Un chico bastante joven, sin barba pero con bigotazo, con el pelo castaño con reflejos rubios y vestido como si fuese el director del Sónar. Imagínate a un surfero hipster megaguapo que sabe vestirse a la última y te harás una idea. Matías, quién lo iba a decir, era una bomba sexual con patas muy a su pesar. Inmediatamente, Carla despidió a los tres profesionales con un «gracias» interminable y unos sobres para cada uno, y cuando se quedó completamente a solas con Matías le contó el plan.

—Hermanito, a grandes males, grandes remedios, cariño mío...

—¿Qué estás tramando? —le contestó sin dejar de mirarse al espejo, pasándose la mano por el bigote.

—Supongo que ahora mismo lo que más te gustaría es escapar, ¿verdad?

—Al fin del mundo si hace falta —le respondió.

—Pues no te preocupes, que te voy a llevar al último sitio donde a nadie se le ocurriría buscarte... Nos vamos a borrar del mundo sin movernos de Barcelona.

—¿Adónde?

—Al Circuit, cariño, al Circuit.

24 horas antes
Comisaría central de Barcelona

El calor estaba empezando a ser agobiante incluso dentro de la comisaría, en la que se vivía uno de las jornadas más ajetreadas de su historia. Los inspectores Jorge Álvarez y Marina Sabater no estaban teniendo su mejor día. Se sentían indignados por la tarea que les había sido asignada. Cataluña, y especialmente la ciudad de Barcelona, se enfrentaba a lo que iba a ser un día que sería recordado siempre, para bien o para mal, ¿y ellos tenían que ocuparse de un festival gay? Simplemente no era justo. Ambos estaban capacitados para labores de inteligencia, como habían demostrado en varias ocasiones en sus brillantes hojas de servicio. Y ahora se veían como la cara del «orden gay» gracias a una alcaldesa a la que en estos momentos le importaba muchísimo más una fiesta multitudinaria que generaba turismo, dinero y buena publicidad que el hecho de que 24 horas más tarde quizá Cataluña no sería ya parte de España.

—¿Cómo va lo tuyo? —preguntó Marina.

—Todo en orden, ya he hablado con hospitales, servicios de emergencia, seguridad civil y demás, y siempre es la misma respuesta.

—¿Y qué dicen?

—Pues primero me sueltan una carcajada en mi puta cara y luego tratan de explicarme que, con los disturbios que podrían ocasionarse entre nacionalistas y no nacionalistas, lo que menos les preocupa es, y cito textualmente, «un puñado de gays metidos en una piscina» dándose la vida padre.

—¿En serio? —Martina no daba crédito. Ignorados hasta por los conductores de ambulancias.

—Pues sí. Resumiendo, que estamos solos.

—No estamos solos del todo —puntualizó Martina con una mueca—. Tenemos a Rita.

Rita estaba absorbida mirando fijamente al ordenador y tecleando a una velocidad de pasmo. Jorge y Martina no le prestaban demasiada atención, les preocupaba más que volviese a fracturarse el codo intentando abrocharse el sujetador. Rita había demostrado ser un desastre para sí misma, pero por lo demás era buena chica y tenía ganas, que era lo más importante cuando se empieza a ejercer de policía. Las decepciones llegaban más tarde.

—Pues viendo como están las cosas —dijo Jorge—, me voy a ir un rato al gimnasio, no sea que vaya a tener que detener a alguien por no dejar las pesas en su sitio y así la alcaldesa puede decir que tenemos los gimnasios más ordenados y curiosos de toda España, si es que seguimos siendo España.

—Perfecto, si surge algo te llamo, pero vamos... tómatelo con calma.

Salió por la parte trasera de la comisaría. La puerta principal estaba, desde hacía 48 horas, literalmente sitiada por enemigos del cuerpo. Unos les acusaban de «ser el brazo armado de la dictadura impuesta por España» y los otros les acusaban de «no utilizar armas contundentes para proteger la unidad de España». Un caos.

Veinte minutos más tarde, Jorge entró en el gimnasio con esa rabia que le da a uno cuando se comete una injusticia. Tenía que haberle hecho caso a su madre y haberse hecho abogado. Ahora no estaría en una comisaría vacía donde solo quedaban los agentes gordos, los castigados por malos y ellos, el gay y la mujer. Un plan perfecto.

—Buenas tardes, señor policía...

—¡Que te he dicho que no me llames señor policía aquí, coño!

—Ya, pero es que me da un morbo muy grande.

Jorge se hizo una nota mental: no volver a acostarse con un campeón de culturismo que pareciese el increíble Hulk pero que en el fondo fuese Sarah Jessica Parker. Se lo quitó de encima lo más rápido que pudo con un gruñido y se puso a entrenar para descargar testosterona, que de eso andaba sobrado, y ya no se acordaba ni de la última vez. Pero no podía concentrarse en entrenar: mejor se iría a correr, que con la música y aislado del mundo se estaría mejor. Precisamente en eso estaba pensando cuando sonó el teléfono. Era Marina.

—Oye, que mejor si te vienes para aquí, que podríamos tener algo...

—¿Algo de qué? —preguntó.

—Pues algo que... podría ser algo. Y lo más curioso de todo es que lo ha descubierto Rita.

—¿Nuestra Rita?

—Esa misma —le dijo Marina.

—No me estás tomando el pelo, ¿verdad?

—Te juro que no. Vente para aquí, que tenemos que echar un vistazo a esto.

«¡Por fin! —se dijo—. ¡Algo de acción!» Y salió disparado para la comisaría.

Sala de interrogatorios
20 minutos después

Rita les había dicho que prefería que hablaran allí porque le daba miedo que alguien los escuchase. Jorge le miró con cara de «pero qué me estás contando» y Marina le pidió un poco de paciencia con la mirada como diciéndole «hay que ver el daño que ha hecho *Homeland*». Y entonces Rita empezó a hablar.

—Pues mire, Inspector Álvarez, esto es que yo tengo un hermano como usted...

—¿Policía? —le preguntó Jorge.

—No, homosexual. Y que conste que en casa nos encanta que sea homosexual. Mi madre, que es superpositiva para todo, presume delante de las amigas diciendo que el crío no le va a traer a una cualquiera que le quiera cazar con un bombo y...

—Rita —le interrumpió Marina—, céntrate y vamos a lo que vamos.

—Vale, es que mi hermano, además de gay es musulmán.

—Esto es un puto chiste... —le interrumpió Jorge.

—No —siguió Rita—, en mi familia somos todos católicos, apostólicos y romanos. Vamos, que vamos a misa y así. Pero es que mi hermano pasó por una crisis espiritual cuando le sacamos de las drogas y conoció el islam, y como que se borró de cristiano y se apuntó a lo otro. A mi padre casi le da un pitango, pero al final lo hemos aceptado y ya mi madre solo se pone histérica cuando toca el ramadán y no consigue que el crío coma una empanadilla hasta las doce de la noche.

—Abrevia, Rita, abrevia, por favor... —le instó Marina.

—Bueno, pues que mi hermano lleva dos años saliendo con un chico árabe que tiene una peluquería en París para mujeres árabes ricas y ha oído algo en la peluquería que le ha preocupado mucho...

—¿Y esa cosa es...? —Ahora había conseguido captar la atención de Jorge.

—Pues que por lo visto, una de las clientas está hecha polvo porque tiene un primo que se ha apuntado a una rama radical de un grupo como muy integrista y dice que van a atentar contra los gays árabes que vengan a Barcelona para el Festival... bueno, los gays árabes y los que sean, que por lo visto cuantos más caigan mejor. Y mi hermano está mosqueado porque el novio dice que la historia de su clienta tiene mucha pinta de ser verdad y que se niega a venir a Barcelona para el Circuit, y eso que mi hermano lleva dos meses ahorrando para comprar las entradas...

—¿Entonces?

—Entonces —siguió Rita— yo me he metido desde aquí en el ordenador de mi hermano y desde el Facebook he apuntado todos los datos que el novio le mandaba por los mensajes. Y le daba nombres y todo, porque otra cosa no, pero por lo visto los peluqueros de París son más cotillas que los de aquí. Y resulta que he metido el nombre del supuesto primo de la clienta del novio de mi hermano en la base de datos de la Interpol y hay una coincidencia...

—¿Todo eso lo has hecho tú sola? —le preguntó Jorge.

—Ella solita —le respondió Martina.

—Ya —contestó él—, pero ¿meterse sin autorización judicial en una página personal no es un poco ilegal?

—Si usted tuviera un hermano como el mío, también le hubiese instalado un software espía para tenerlo controlado, a él y a toda mi familia, ya que estamos...

—Me parece perfecto, Rita —le dijo la Inspectora.

Rita los miraba con la cara que pone un hámster frente a una hoja de lechuga fresca, es decir, entre excitada y apasionada a partes iguales.

Acto seguido, se fueron al escritorio de Rita y comenzaron a estudiar toda la documentación del asunto. Llegaron a la conclusión de que la amenaza no era cien por cien fiable pero, desde luego, debía ser tenida en cuenta. Cosas más raras se habían visto... en los telediarios.

—¿Llamamos al Comisario y le ponemos al día del asunto? —propuso Marina.

—¡Ni hablar! —bramó Jorge—. Él mismo nos ha dicho que no le demos problemas. Seguiremos investigando esto y, si vemos que la cosa va en serio, entonces ya veremos si hablamos con él. Mientras tanto, vosotras dos mañana venid preparadas con el bañador o lo que sea que uséis las mujeres policías, que nos vamos los tres a la fiesta del parque acuático...

—¿Perdona? —le dijo Marina.

—Marina, ¿te imaginas que mañana pudiese ocurrir un ataque terrorista descomunal mientras toda España mira para otro lado y nosotros somos los que conseguimos impedirlo? ¿Te lo imaginas? Si lo piensas, es el escenario perfecto para un atentado. Nadie, absolutamente nadie, va a estar pendiente mañana de esa fiesta; por no haber, apenas hay dispositivo policial... Si alguien quiere armarla, lo tiene bastante fácil. O lo tenía, porque mañana nosotros nos vamos a interponer en su camino...

—Visto así, no es mala idea... —dijo Marina.

—Yo prefiero biquini en lugar de bañador —intervino Rita.

Jorge miró al techo con cara de «madre mía, lo que se nos viene encima». Pero no importaba, porque en su cabeza solo había una idea. ¿Y si algo pasaba en aquella fiesta en el parque acuático? ¿Y si él estaba allí para impedirlo?

24 horas antes
Centro de belleza Nefertiti
Barcelona

Bianca y Jasmina, obsesionadas ambas con su aspecto físico, se habían pasado la mañana en un centro integral de belleza que aparecía en *Vogue*, donde lo recomendaban porque la más famosa de las *top models* negras (sí, esa) había ido una vez a que le planchasen las extensiones. Después de los masajes, las mascarillas, la depilación y el baño de queratina, se habían metido en una sauna para sudar la gota gorda.

—Yo en el fondo te quiero porque tienes el corazón más grande que las tetas, que ya es decir —dijo Jasmina.

—Pero, mi vidaaaaaaaaa, ¿qué te pasa ahora? La cumbia maravillosa que haríamos con esa frase, mi amorsota...

—Ay, que me has dejado muy histerizada en los grandes almacenes ayudando de esa manera a esa pobre chama, allí tan sola en medio de trescientos biquinis... Tú vas de comemachos por la vida, pero en el fondo eres buena, flaquita... por algo somos uña y mugre.

—¡Ay, amiga, no se me coloque así! Y deja de hablarme como en las telenovelas, que me tiene loquísima, pero yo te amo igual...

—¿Y qué vamos a hacer con Marijose? —le preguntó Jasmina.

—Pues vamos a salvar el matrimonio de esa hembrita divina, cariño. Ni más ni menos.

—Mamita, cuando te pones en plan graciosa me dejas patidifusa... ¿Tomaste sopa de payasito?

—Cállate y escucha... Para empezar, y que el marido de ella no se entere de nada, nos vamos al parque acuático en taxi, nada de autobuses...

—Pero nos va a costar mucha plata —protestó Jasmina.

—Aquí la plata es lo de menos —replicó Bianca—. Comprende que no podemos meter al marido de ella en un autobús con cuatrocientas amaneraditas bien endrogadas de vete tú a saber qué se han metido, porque ese macho, si es taaaaan conservador como dice Marijose, pues la puede armar bien armada...

—¿Entonces?

—Entonces los vamos a buscar al hotel mañana por la mañana y tú y yo nos ponemos como si fuésemos a posar para la portada de *Playboy*...

—Cuando te pones misteriosa, Bianca, no te supera ni Agatha Christie...

—¿Agatha... la modelo?

—Déjalo, mi vida. Sigue contándome.

Y Bianca siguió. Y mira tú por donde que el plan tenía todo el sentido del mundo. Bianca estaba absolutamente segura de sus armas de mujer y quería presentarse en biquini, bolso y tacones en la recepción del hotel para recoger a Marijose y su marido. Para entonces, Marijose le habría pegado los tres polvos y el pobre señor estaría con poca actividad cerebral. Y ahí entraban ellas. Dos diosas de semiébano con bien de tetas y dos bocas llenas de los dientes más blancos que has visto en tu vida. Eso, y el pelazo. Porque el pelazo (sintético o no) era esencial para marear a un hombre.

—Y una vez que parezcamos dos loquitas escapadas de un vídeo de J.Lo en esa recepción... ¿qué hacemos? —preguntó Jasmina.

—Pues nos presentamos como las señoritas que somos y...

—¿Dos señoritas en biquini y tacones con estas tetas que tenemos, Bianca? ¿En serio?

—Un macho de verdad después de tres *culiadas* cuando nos vea, el supershock va a ser taaaaan grande que le dices que somos inspectoras de Sanidad de la madre patria y se lo traga. ¡Mamita, la poca cultura de macho que tienes!

—Tú sigue... —le pidió Jasmina intrigada.

—Entonces llamamos a un taxi, y que no se me olvide, todo bien prontito, mi vida, porque tenemos que llegar casi las primeritas a la *pool party*. No nos conviene que el esposito de Marijose vea una fila de veinte mil galanes anabolizados con bañadores de diseño y carita de haber pasado 48 horas encerrados en un ascensor con Kate Moss... no nos conviene nada.

—Y una vez que llegamos allí, ¿qué hacemos?

—Pues básicamente, cualquier cosa, pero con los pechitos bien cerca de su cara, mmmm. Mientras una se encarga de atender a Marijose y que la chamita se divierta un poco, la otra estará con el machito despistándole y haciéndole beber mojitos, malibús con piña o cualquier cosa que beba un macho del interior.

—O sea, le emborrachamos mientras le enseñamos las tetas hasta que se desmaye —dijo Jasmina.

—Y si hace falta, le drogamos. Lo que sea, pero Marijose tiene que vivir un día especial. Un día que no se le olvide en la vida. Mañana tiene que ser su «Miss Venezuela» particular, mi reina... Y una vez que el marido tenga una guayaba del tamaño del ego de una presidenta argentina, entonces le llevamos a la zona de los pinos, al merendero, y le ponemos tan lindamente a dormir.

Jasmina solía tener terror a los planes de Bianca, porque una vez que le hizo caso terminaron las dos en comisaría acusadas de desacato a la autoridad y todo porque a Bianca se le puso en las narices que esa noche se ligaba a un antidisturbios, que era el morbo de su vida, y obligó a la pobre Jasmina (amigas para siempre) a acompañarle a una manifestación antisistema frente al Congreso de los Diputados. Y es que Bianca era una peluquera maravillosa, pero no era una mujer sutil. De hecho, era un estibador portuario con el cuerpo de Naomi Campbell. Total, que se pusieron en primera línea de la manifestación, frente a los antidisturbios, y cuando Bianca vio al más cachas, más barbudo, más tatuado y más de todo, se le puso delante y sin mediar palabra... se sacó una teta. El policía, que resultó ser un señor encantador de Castellón, casado y con cuatro hijos, no tenía el día para bromas y muy amablemente le pidió a Bianca que se tapase y se apartase. Y claro, uno no sabe lo que es la furia caribeña hasta que le dice a Bianca que no. Ya ves tú, dos letras de nada con un efecto que la niña del exorcista parece un caniche sedado a su lado. Total, que se armó la marimorena y acabaron las dos detenidas en una comisaría del centro de Madrid. Menos mal que Bianca fingió ser bipolar, tener trastorno de atención y ser geminiana, bulímica y prima de Mourinho, y un comisario majísimo que en sus ratos libres hacía teatro y estaba preocupadísimo por su incipiente calvicie se lo creyó todo y las dejó salir sin antecedentes.

—Y entonces —quiso saber Jasmina—, ¿qué hacemos esta tarde?

—Lo primero de todo, salir de este hornito, que los bomboncitos como nosotras se derriten con tanto calor... y luego, después de la manipedi, la peluquería y las compras, comernos un sándwich de pavo a la plancha, abrir el Tinder y desfogarnos como las diosas que somos, porque me da a mí que mañana vamos a estar demasiado ocupaditas como para levantarnos un par de machos en condiciones...

—Bianquita, esto ya lo hemos platicado antes; tú ponte bien fogosa con el Tinder y yo me voy al cine, que ya sabes que yo sexo sin amor, pues ya como que no, que yo quiero que la vida me sepa a fruta...

—Jasmina, hay que ver la época tan mala que llevas, por favooooor. Desde que viste *El diario de Noa* estás completamente histerizada...

—Tú déjame a mí con mis cosas, que yo no me meto con tu vida sexual, que últimamente parece el casting de *La Voz*.

—¿Porque son muy jóvenes? —preguntó Bianca.

—No, por los gritos horrendos.

Dicho y hecho. Como Bianca tuvo una suerte horrorosa con el Tinder, le dejó encargada a Jasmina de llamar a Marijose para contarle el plan con todos los detalles. Como Bianca no se fiaba mucho de Jasmina y mientras le hacían la pedicura, se lo dejó todo escrito en un papel donde se podía leer:

OPERACIÓN SALVAR A MARIJOSE
- 10.00 h: nos presentamos divinas en la recepción del hotel para recoger a Marijose y su machito.
- 10:15 h: nos cogemos un taxi bien divinas para que nos lleve a la *pool party* (dile a Marijose que ella paga el taxi).

- 11:00 h: llegamos cargaditas de poder a la *pool party* y entramos rapidito hechizando al macho de Marijose con nuestros andares felinos. Dile a Marijose que en algún momento nos tiene que dar plata para pagar los doscientos mojitos a los que le vamos a invitar a su marido. Solidarias sí, bobas perdidas no.
- 11:05 h: llegamos a la primera barra, la de la derecha, y yo me voy con Marijose mientras tú le cuentas a su marido lo desgraciada que eres porque no hay machos de verdad en la madre patria. No le cuentes a Marijose que le vamos a poner unos chorris a su marido, que así el hombre se duerme antes. Por supuesto, situamos al marido de Marijose de espaldas a la puerta de entrada. Sus ojos en tus pechitos, mi amor (es muy importante que recuerdes esto).
- ¿Te has enterado de que NO HAY QUE DECIRLE A MARIJOSE QUE VAMOS A DROGAR A SU MACHO?
- 12.30 h: a estas alturas la guayaba del marido de Marijose va a ser *king size*, entonces, antes de que le dé el yeyo, nos lo llevamos a los pinos y le dejamos allí sentadito, tan a gusto el hombre.
- 12.45 h: a partir de aquí improvisamos. Ya veremos qué pasa. Y que sea lo que la Virgen de Guadalupe quiera.

Aquel era el plan de Bianca, y Jasmina había decidido seguirlo a pies juntillas porque le parecía divertido y tampoco era demasiado difícil de realizar. Así que llamó a Marijose y se lo contó todo. La mujer, encerrada en el baño para no distraer a su marido, que estaba viendo un debate titulado «Mujeres que trabajan: ¿sí o no?», se puso a llorar de la emoción y les juró por la tumba de una prima y un hermano drogadicto que tenían en ella a una amiga para siempre. Una amiga no... ¡una hermana!

A Jasmina, al oír a Marijose despendolada de la emoción, le recorrió un escalofrío desde la punta de las extensiones hasta la cuña de la sandalia. Todo parecía fácil, pero había algo que no encajaba del todo... y Jasmina era un poco bruja.

24 horas antes
Casa de Alejandro y Rubén
Malasaña, Madrid

Alejandro no lo podía evitar. Iba dando saltitos por toda la casa. De la cocina al baño, del baño al balcón a fumar, del balcón al despacho, del despacho al vestidor. Y sin dejar de cantar «Abre tu mente», de Merche.

—Tanta alegría me empieza mosquear. Parece que te mueres de ganas de ir a esa fiesta de chulazos... —le dijo Rubén, su marido.

—¿Puedes ser más tonto? —le contestó—. Lo que pasa es que estoy como loco de contento porque no he pegado ojo en toda la noche repasando el plan, porque esto va a ser como rodar una escena entre varias ciudades y con veinte mil extras asalvajados...

—Esa manía tuya de verlo todo como una película...

—Por eso sigo así de enamorado de ti, supongo —le cortó Alejandro—, porque veo la vida como una película, y contigo es como una comedia romántica.

Ahí Rubén se relajó. Cuenta la leyenda que la única manera de tranquilizar a un señor de Bilbao es diciéndole que le quieres aunque se le esté derrumbando al mismo tiempo el techo de su casa encima. Alejandro volvió a ir de un lado para otro dando saltitos cantando ahora «Euphoria» de Loreen. Hasta que sonó el portero automático.

—¡Ábreles! —le gritó a Rubén—, que yo voy ya.

Rubén no estaba del todo emocionado con la cena que tenía por delante. Su marido y Santiago, el de la despedida, seguían siendo las mismas personas a pesar del éxito y los millones que *Tú a Chiclana y yo a Porriño* habían traído a sus vidas. Pero lo de Miguel Ángel y Luis era otra historia. Claro, que tampoco había que juzgarlos porque debe ser muy duro el no poder salir a la calle, ir al supermercado, al gimnasio o viajar en metro. Aunque, con dos millones de euros en el banco que les habían dado de adelanto por el rodaje de la secuela, igual al final la cosa tampoco era tan complicada. Miguel Ángel seguía saliendo con su novia de siempre (que estaba encantada de tener un novio famoso) y, como era muy sensible, muy para adentro y tenía ataques de pánico sin parar, se pasaba el día fumando porros que le daban una paz interior muy grande y le hacían sonreír con una sonrisa que se había convertido en «la sonrisa de España» porque nadie sospechaba que, en realidad, iba hasta el culo de antidepresivos, petas y relajantes musculares de homeopatía. Luis era harina de otro costal. Luis se había puesto un gimnasio en casa y, al margen de entrenar y comer, follaba. Si era actriz y respiraba, Luis se la follaba. Y si no era actriz, pues también. Y aunque pareciese increíble, se había abierto un perfil en Tinder para seguir follando cuando le quedaba tiempo libre entre gimnasio y polvo. Como lo oyes. Luis estaba encantado de ser famoso y quería más. Más de todo, más pasta, más chicas, un coche más grande... Luis era un hortera con dinero al que la cámara adoraba. Miguel Ángel era probablemente el mejor actor de su generación, y lo peor de todo era que él mismo no se daba cuenta, a pesar de haber ganado el Goya al Mejor Actor Revelación, a pesar de que cualquier día de estos se les quedaba dormido de pie rodando una escena, de lo relajado que iba.

—Vamos a ver una cosa, que yo me aclare —dijo Luis una vez que los cuatro estaban sentados en la mesa—. ¿La fiesta esta es solo de maricones o hay también tías buenorras?

A Rubén se le cambió la cara al oír la palabra «maricones». Especialmente en boca de un actor que había triunfado haciendo de «maricón» en una película que narraba una historia de amor de «maricones» dirigida y producida por sus mejores amigos, ambos «maricones» también.

—¡Pues claro que hay chicas! ¡Y espectaculares! ¡Unos cuerpazos de infarto! —le aseguró Alejandro—. Mi amigo Pablo me ha dicho esta tarde que el Circuit es, al mismo tiempo, una cumbre internacional de mariliendres...

—¿De qué? —preguntó Miguel Ángel.

—De mariliendres —le recalcó Luis—. Joder, macho, que hasta yo sé lo que es eso...

—Ah —dijo Miguel Ángel, y no insistió.

—Vamos a lo que vamos —gritó Alejando—, vamos a... ¡EL PLAN!

—¿Sabéis si pasa algo si se mezclan dos Lexatines con un porro? —quiso saber Miguel Ángel.

—Que no se te levanta en dos días, probablemente —le respondió Luis.

—¿Me podéis prestar un poquito de atención? —pidió Alejandro.

—Venga, dale...

La cosa no era nada complicada. Tenían que presentarse en casa de Santiago esa misma madrugada a las cinco en punto, o sea, al cabo de seis horas. Despertarle no iba a ser un problema porque Santiago se pasaba las noches trabajando o enganchado a un par de series americanas que eran su vicio. Una vez allí, le gritarían ¡SORPRESAAAAAAA AAAAAAAA! hasta dejarlos sordos a él, su futuro marido y la comunidad de vecinos, y a continuación le vendarían los ojos. El futuro marido estaba informado de todo y se encargaría de obligar a Santiago a colaborar, porque Santiago cuando no entiende una cosa se bloquea y lo mismo le da por llamar a los bomberos llorando como una Magdalena presa del pánico.

—O sea —dijo Luis—, que nos presentamos en su casa a las cinco de la mañana, le formamos un escándalo, le vendamos los ojos y le metemos a la fuerza en una furgoneta donde nos vamos a pasar seis horas hasta que lleguemos a Barcelona... Sí, tiene todo mucho sentido.

—Por favor, no seas agonías, Luis, que lo tengo todo controlado, y si la cosa se pone mal tengo cuatro palabras que le harán cambiar de opinión...

—¿Y cuáles son?

—RESACÓN... EN... LAS... VEGAS.

—¿Como la película? —preguntó Rubén.

—Efectivamente. Solo vamos a conseguir sacar a Santiago de su casa si le hacemos creer que va a vivir una aventura salvaje con sus amigos como en la película... No se va a poder resistir... Le va a dar para dos guiones, que le conozco.

—Pero... a Las Vegas no vamos..., ¿no? —preguntó Miguel Ángel, ya víctima del Lexatin.

—No, hijo, no —le contestó Alejandro—; más que nada, porque no nos da tiempo a ir y volver de Las Vegas en furgoneta teniendo en cuenta que se casa el miércoles...

—¡Ah! Vale...

Alejandro les explicó que esperaba que hubiesen traído las mochilas con lo que les había pedido. Cada mochila debía contener:

- una peluca masculina,
- unas gafas de sol tamaño folclórica en aeropuerto,
- una funda para proteger el móvil del agua,
- camiseta veraniega, chanclas y bañador (opcional olímpico o bermuda),
- condones (esto para Luis),
- mucho dinero en efectivo,
- las pulseras de acceso a la fiesta,
- los billetes de avión de la vuelta para el mismo martes por la noche.

Cuando comprobaron que las mochilas tenían todo lo necesario, se relajaron bastante y se pusieron a ver la tele (Alejandro), leer los mensajes del Tinder (Luis) e intentar distinguir la osa mayor de Saturno al tiempo que comprobaba que no, que un cristal no se puede pellizcar (Miguel Ángel). Rubén se fue a la cama deseándoles mucha suerte y recordándole a Alejandro que una vida con las piernas partidas no era lo mismo.

Llegaron a las cinco menos cuarto y se metieron los tres en la furgoneta de camino a casa de Santiago, cuando Miguel Ángel se despertó del todo y les hizo una pregunta:

—¿Vamos a poder parar a hacer pis?

—¡Joder, qué día nos espera!

24 horas antes
Monasterio de San Judas Tadeo
Zaragoza

—¡NO!

El Padre Damián se despertó sobresaltado. No había sido una pesadilla, había sido un recuerdo. Aquella noche le había costado conciliar el sueño muchísimo. Pensaba obsesivamente en descifrar el enigma que le rondaba la cabeza, en encajar las piezas. Y a la media hora de quedarse dormido del agotamiento, de repente, sabía dónde había visto las letras de la Biblia destrozada que había encontrado el día anterior en la papelera del gimnasio. Su corazón empezó a latir demasiado rápido y saltó de la cama como si le hubieran dado una descarga eléctrica. No sabía si estaba en lo cierto o no, pero tenía que comprobarlo en ese mismo instante, no podía esperar. Mientras se vestía, pensó que el problema iba a ser que las aulas estaban cerradas a cal y canto y él no tenía llaves. Tenía que haber alguna manera. Y la culpa era suya por haberse dejado el maletín con los papeles en el gimnasio. ¿Debería serenarse, dormir un poco y esperar al día siguiente?

«No, mañana no puede ser, tiene que ser ahora» se dijo. Se levantó y se terminó de poner un chándal. No quería ni hacer ruido ni que nadie le viese aunque, claro, ¿a quién se va a encontrar uno en un monasterio a las cuatro de la mañana? Por lo tanto avanzó por los pasillos, descalzo y andando pegado a la pared. No debería tardar mucho en llegar a la zona del gimnasio y, probablemente, doña Berta, la encargada de la limpieza, se habría dejado una de las tres puertas abiertas.

No hubo suerte. Ni la puerta principal, ni la de mantenimiento ni la de vestuarios. Imposible, pero no del todo. El Padre Damián se había pasado la adolescencia junto a su padre viendo películas de Chuck Norris y Charles Bronson. Y eso, quieras que no, te da una cultura de la delincuencia y el destrozo urbano que es un máster en toda regla. Por eso, cuando vio una ventana de los vestuarios del primer piso, se le iluminó la bombilla.

Trepar hasta la ventana de los vestuarios femeninos del primer piso no iba a ser difícil para él. Y no lo fue. Gracias a Chuck, decidió que no le quedaba más remedio que romper la ventana, pero no llevaba la chaqueta del chándal: solo llevaba una camiseta. Así que, ni corto ni perezoso, se la quitó, la enrolló alrededor de un brazo y ¡*voilà*! De un solo golpe, la ventana se rompió. Intentó limpiar los cristales, pero no pudo evitar hacerse un gran corte en la espalda al atravesarla. Un corte que tenía pinta de sangrar mucho, aunque en la oscuridad, el Padre Damián no se dio cuenta del reguero de sangre que iba dejando a su paso. De allí bajó al gimnasio y localizó su maletín a tientas justo detrás de su mesa. Lo agarró y salió disparado hacia la segunda planta, donde se encontraba la sala de profesores.

—No puedo estar equivocado, parece una locura, pero no puedo estar equivocado... Que Dios me perdone si he pecado de pensamiento... —se repetía mientras subía las escaleras.

Y no, no se equivocó en absoluto. Mateo Garrido, un alumno con el que se llevaba muy bien, le había dado un examen que el Padre Eduardo le había suspendido. Martín estaba seguro de que lo había hecho bien. Y sin embargo, el Padre Eduardo le había puesto un 2 junto a unas letras en rojo que decían: «¡MAL, MUY MAL, GARRIDO!».

Esas eran las letras. Las mismas letras. La misma caligrafía. El mismo rotulador rojo. El Padre Eduardo era el responsable del destrozo de la Biblia, de eso ya no había duda. Por eso el Padre Damián no sintió ninguna culpa cuando, ayudándose de un cuchillo del comedor, rompió el cierre de la taquilla que ocupaba el Padre Eduardo en la sala de profesores. Y entonces, lo que vio dentro dio sentido absolutamente a todo. A todo y más. Una mueca de espanto recorrió la cara del cura mientras sacaba planos, hojas con anotaciones, comprobantes de venta de entradas para un festival gay, una guía impresa de internet de cómo envenenar a alguien con cicuta, otra Biblia manchada de lo que parecía sangre... y un diario.

Se sentó bajo una ventana de la sala para aprovechar la luz con el cuaderno entre sus manos. Lo que describía el diario era horrible. De tanto luchar por el bien, el Padre Eduardo se había convertido en un monstruo enajenado, en una bestia sin misericordia, sin caridad, llena de odio y resentimiento. El Padre Damián estaba tan encerrado en el horror que estaba leyendo que no pudo ver que alguien se acercaba y, de repente, se encendieron las luces.

—¡Padre Damián! ¡Por la gloria de nuestro Señor Jesucristo! ¿Qué está pasando aquí?

El Abad del Monasterio, alertado por la alarma silenciosa que la Diócesis había decidido contratar dos meses antes, estaba en la entrada de la sala de profesores, donde se encontró al Padre Damián semidesnudo, arrodillado, rodeado de papeles y con el suelo cubierto de sangre que emanaba de su espalda.

—Padre, tenemos que hablar —le dijo desesperado—, necesito que me escuche...

—Desde luego que te voy a escuchar, Damián —le aseguró el Abad—, y con mucha atención... Esto, esto es...

—Padre, por favor, escúcheme.

Y el Abad, un hombre con el corazón más grande que su fe, escuchó todo lo que el Padre Damián le contaba y le enseñaba al mismo tiempo. No faltaba detalle. No había posibilidad de error a menos que aquello fuera un truco de Satanás. No había espacio para la duda. El Abad se llevó las manos a la cara y sus ojos cansados mostraban una mueca de horror.

—¿Qué podemos hacer, Damián? —le preguntó.

—Detenedle, Padre, detenedle —fue su respuesta.

—Pero ¿cómo vamos a parar esto, hijo? —dijo aún más angustiado el Abad.

—Déjeme hacerlo, Padre, yo sé cómo detener al Padre Eduardo, yo puedo pararle...

—Damián, esto son palabras mayores, no sé si avisar a la Policía...

—¿Y qué les va a contar?, ¿que un cura loco pretende organizar una matanza de sodomitas el día de las elecciones en Barcelona? ¿Usted cree que nos van a tomar en serio? ¿Justo ese día?

—Damián, por favor... déjame pensar.

—¡No hay tiempo, Padre! ¡Esto podría ocurrir en menos de doce horas! ¡Déjeme la furgoneta del reparto de dulces!

Si salgo ahora puedo estar en Barcelona a primera hora de la mañana, y al menos sabemos dónde va a estar el Padre Eduardo. Le prometo que obraré siempre con cautela y buena fe, Padre, confíe en mí...

—Yo confío en ti Damián, pero los caminos del maligno son aún más inescrutables que los del Señor...

El Abad reflexionó unos momentos mirando al cielo a través de la ventana rota como buscando una señal, algo que le apartara de lo que estaba viviendo en ese momento. Cerró los ojos, respiró profundamente y dijo:

—Ve, Damián, ve si eso es lo que crees que debes hacer. Date una ducha y te espero en la recepción cuando estés listo. Te llevaré las llaves de la furgoneta y, por favor, haz poco ruido. Yo me ocuparé de este desastre y diré que nos han intentado robar. Y Damián... solo una cosa más.

—Dígame, Padre.

—¿Por qué mi corazón me dice que esto es una despedida?

El Padre Damián no le contestó y salió disparado. Estuvo listo en menos de media hora. Dejó la bolsa con unas pocas cosas que había pensado que podía necesitar y metió dentro un sobre que le había dado el Abad. Arrancó la furgoneta y fue en primera hasta la salida del Monasterio para hacer el menor ruido posible, y en menos de veinte minutos ya estaba en la carretera de camino a Barcelona.

Tres horas y media después

Tras equivocarse de dirección tantas veces que no podía recordarlas, el Padre Damián consiguió llegar a un parking en la Plaza de Cataluña que a esas horas ya estaba en plena ebullición. Cientos de miles de catalanes ya habían salido a las calles para votar en lo que iban a ser unas elecciones que marcarían un antes y después en la historia de España. Miles de personas yendo de un lado a otro envueltos en *la Senyera*. Partidarios de la independencia y contrarios a la independencia. La tensión se podía palpar en el ambiente. El Padre Damián se encontraba completamente perdido en el caos, justo en el centro de la diana donde todo el país iba a tener sus ojos puestos en cuestión de horas. Iba tan absorto en sus pensamientos que sin querer se estampó contra un hombre al que casi derrumba a su paso.

—¡A ver si mira por dónde va!

—Disculpe, ha sido mi culpa —se excusó el Padre Damián.

Aquel hombre se quedó ahí quieto, mirándole con una expresión extraña, pero sin articular palabra. Siguió avanzando a paso rápido, pero hubo algo que le hizo darse la vuelta justo antes de doblar la esquina. Y seguía allí, inmóvil. Mirándole. Con aquella expresión.

No iba a ser la última vez que viera a ese mismo hombre en las siguientes horas. Sus destinos no iban a cruzarse: iban a estamparse.

TERCERA PARTE
La mañana del evento

La mañana del evento
Barcelona centro

—¡A ver si mira por dónde va!

El Inspector Jorge Álvarez se había estampado de frente contra un hombre igual de alto, igual de fuerte y, en su opinión, mucho más guapo que él. De hecho, uno de los hombres más guapos que había visto en su vida. Probablemente, el hombre más guapo del mundo. Cuando observó con quién había chocado se quedó mudo, quieto, avergonzado de haberle hablado así.

—Disculpe, ha sido mi culpa —le respondió el otro, continuando su camino.

El Inspector estaba paralizado. No solo era que aquel hombre vestido de negro de arriba abajo fuese el hombre perfecto. Eran sus ojos. No hizo falta más que un segundo. Había algo en sus ojos que pedía a gritos ayuda y decía que algo no iba bien. A veces, en la sala de interrogatorios había descubierto si alguien era inocente o culpable con una mirada, un parpadeo a destiempo, una intención. Y a Jorge Álvarez el instinto no le fallaba nunca.

Se quedó parado en la calle viendo cómo aquel hombre se alejaba y esperó a que se diese la vuelta. El hombre de negro se encaminaba hacia el final de la calle, y en unos segundos le perdería de vista, quizá para siempre. Pasaban mil cosas a una velocidad de vértigo por su cabeza, pero esta vez no pudo reaccionar. Y justo cuando el hombre de negro iba a doblar la esquina, se dio la vuelta y le miró. Con esos ojos que no le contaban nada bueno. Unos ojos que contaban una mala historia, que pedían cariño, que pedían protección. Algo raro en un hombre tan grande y tan corpulento. Y en ese momento reaccionó y aceleró el paso, decidido a buscarle y a preguntarle si podía ayudarle en algo. Pero al doblar la esquina... nada. Allí ya no había nadie.

—¡Joder!

La calle ya estaba inundada de gente a esa hora tan temprana. Decenas de miles de personas de un lado a otro. Manifestaciones improvisadas. Policía en cada esquina. Un caos de ciudad como jamás había visto. Y la amenaza latente de que el ejército entraría en Barcelona y en toda Cataluña si el referéndum se llevaba a cabo. Eso por no hablar de delegaciones enviadas de media Europa actuando como observadores (a favor y en contra) de la ocasión. Y la prensa mundial en pleno en la ciudad reportando lo que sucedía minuto a minuto. En cada colegio electoral, en cada plaza importante, en cualquier sitio susceptible de ser noticia. Prácticamente una ciudad blindada y vigilada o por las fuerzas del orden o por los medios de comunicación, que, por supuesto, habían contribuido a crear una alarma social que no iba a ser buena fuese cual fuese el resultado. Fue el teléfono vibrando en el bolsillo del pantalón el que le despertó inmediatamente de aquellos pensamientos y de aquel hombre de negro que había desaparecido entre la multitud.

—Haz el favor de venirte para aquí, que tenemos lío —le pidió Martina.

—Llego en diez minutos —le contestó.

Se pasó todo el trayecto hasta la puerta de la comisaría mirando a todos lados para ver si le veía, incluso cambió la ruta que hacía todos los días dando un rodeo. Pero no le encontró. El hombre de negro había desaparecido y a Jorge Álvarez había algo que seguía sin encajarle. Algo que hacía que su corazón latiese agitado.

La mañana del evento
9:00 a.m.
Carretera Madrid-Barcelona

—Ya solo nos quedan cincuenta kilómetros, chicos —dijo Alejandro.

La cosa en la furgoneta no era de jauja precisamente. Y eso que el plan tampoco había salido tan mal. Se habían presentado en casa de Santiago y habían conseguido convencerle de que se fuera con ellos y sin tener que decirle «RESACÓN... EN... LAS... VEGAS» a pesar del susto que le pegaron. El primer mosqueo del director vino cuando en el garaje le explicaron que le tenían que vendar los ojos, porque una sorpresa era una sorpresa y no podía protestar.

—De verdad, que no tenemos trece años, Alejandro —había protestado Santiago—. ¿Es necesario que me vendéis lo ojos? ¿En serio?

—Absolutamente —le aseguró Alejandro—. Te digo lo mismo desde hace años... tú confía en mí.

A regañadientes, Santiago se vendó los ojos y se metió en la furgoneta hecho un manojo de nervios haciéndoles mil preguntas que hicieron el viaje un poco conflictivo. Miguel Ángel tuvo varios ataques de ansiedad y cambios de humor gracias a que había confundido los Lexatines con unas anfetaminas que nadie puedo explicar cómo habían ido a parar en su poder. Entonces, como iba fino de porros, pasaba de la exaltación de la amistad y el cariño a ponerse a gritar que era el puto fin del mundo y que se iban a morir todos estrellados. Esto en cuestión de minutos. Y luego estaba «lo del pis».

—¿Podemos parar a mear? Mira que exploto, joder...

Uno con los porros y las anfetaminas y el otro con las cervezas y el porno en el móvil alabando la carrera de Rocco Sifreddi como si fuera el mismísimo Marlon Brando no estaban convirtiendo el viaje en algo para recordar, precisamente. Y Santiago, en el medio de todo, sudando como un pollo y protestando porque le habían quitado el teléfono móvil y la tablet.

—Os prometo que me tiro al suelo y no miro nada —les había dicho—, pero dejadme ver aunque sea el mail, que a mí esta oscuridad, este olor a cerveza y porros me están dando una ansiedad que no sé yo lo que voy a aguantar así. ¡Ah! Y me hago pis...

—¡Y yo! —se sumó Miguel Ángel.

Total, que a cincuenta kilómetros de Barcelona y antes de ponerse a discutir, decidieron parar en una gasolinera en la que no había nadie a esas horas. Por si las moscas, Miguel Ángel y Luis se pusieron las pelucas y las gafas y se dirigieron al váter llevando a un Santiago con los ojos vendados que no dejaba de tropezar mientras Alejandro aprovechaba para poner gasolina.

«Esto —pensó Alejandro viéndolos salir disfrazados del váter con Santiago en plan víctima de secuestro— es de película de Oliver Stone con los cárteles mejicanos. Menuda toma con este amanecer...»

Y mira tú por dónde, no fue la única persona que lo pensó. Angelines Tarradellas, divorciada cuarentona, madre de tres hijos y encargada del turno de madrugada de la gasolinera, pensó exactamente lo mismo viendo la escena a través de los cristales blindados de su puesto de trabajo. De hecho, lo pensó tanto que no se cortó un pelo y llamó a la Policía. Mejor prevenir que curar.

—Policía Nacional, ¿en qué podemos ayudarle?

—Miren, me llamo Angelines Tarradellas y quiero denunciar un secuestro —le dijo a la operadora.

—¿De quién?

—Pues mire, no tengo ni idea, pero del váter de la gasolinera donde trabajo han salido dos terroristas o atracadores, pero profesionales porque van con peluca y todo, llevando a uno con los ojos vendados, y le han metido en una furgoneta que conduce uno con pinta de coser pa la calle...

—¿Perdone? ¿Cómo sabe usted que son terroristas? ¿Sabe usted que eso es una acusación gravísima? ¿Y qué es eso de «coser pa la calle»?

—Pues, guapa —le dijo Angelines—, entre los capítulos que me he visto de todos los *CSI*, *Castle*, *Mentes criminales* y *El cuerpo del delito* (porque sí, hasta ese bodrio me lo he visto entero), probablemente reconozco a un terrorista mucho antes que tú por mucha placa que lleves y mucho muro que sepas trepar. Y te diré más: además de terroristas, drogadictos perdidos, que no sabes el tufo a porro que salía de la furgoneta que me llega hasta aquí...

—Pero, oiga... —protestó la agente al teléfono.

—¡Ni oiga ni oigo! —le replicó Angelines—. ¿Qué hace usted si por delante de sus narices pasan dos tíos disfrazados con pelucas y gafas de sol llevando a la fuerza al váter a otro con los ojos vendados y lo meten en una furgoneta que huele a porro de aquí a Calatayud? ¿Se queda tan tranquila? ¿Y si lo matan y aparece en una cuneta? ¿De quién va a ser la culpa? ¿Eh, bonita?

—Angelines, ya veo que es usted una mujer muy observadora... ¿No habrá cogido por casualidad la matrícula del vehículo?

—La matrícula, la marca y el color del vehículo, y si me da un email le mando hasta una foto del conductor, que estaba despistado y yo soy muy rápida con el móvil... ¡Un momento! ¡No me cuelgue, que viene a pagar el de la furgoneta!

Angelines, que se sabía efectivamente todo lo que una mujer avispada debe hacer en una situación así, retuvo durante unos minutos a Alejandro en la caja diciéndole que tenían un pequeño problemilla con el datáfono y que tenía que llamar a la central para que le hicieran «no sé qué» con el router de la conexión inalámbrica del aparato, que había que ver la de problemas que daban las nuevas tecnologías.

Unos diez minutos después, y mientras veía a Alejandro irse hacia la furgoneta, Angelines soñaba con convertirse al fin en una heroína y ser el ídolo de su comunidad de vecinos al que todos los programas de sucesos querrían entrevistar. Al mismo tiempo, ya reunidos en la furgoneta, todos intentaban tranquilizar a Santiago, al que se le estaba acabando la paciencia por momentos y quien solo se prestó a calmarse si le dejaban hablar con su futuro marido. Como vieron que la cosa tenía muy mala pinta, accedieron. Y después de la charla con el altavoz, que no era plan de que el novio les jodiera la sorpresa, Santiago se sintió más a gusto, más relajado y les dijo:

—Joder, no sé qué coño me habéis organizado, pero si queríais tenerme intrigado, lo habéis conseguido...

Pero, justo en el momento en el que les iba a contar que ya no tenía ansiedad, y que de lo que tenía era ganas de saber lo que iba a pasar, el sonido de una especie de megáfono le interrumpió:

—¡GUARDIA CIVIL! ¡POR FAVOR, DETENGAN INMEDIATAMENTE EL VEHÍCULO Y SALGAN CON LAS MANOS EN ALTO!

Y así hasta cuatro veces. La furgoneta estaba rodeada por un coche de la Guardia Civil que les hacía señales para que aparcaran a la derecha lo antes posible.

—¡Qué cabrones! ¡Jajajajaja! —se descojonaba Santiago—, ahora los picoletos... Lo estáis bordando.

—Santiago —le avisó Alejandro—, que esto no es parte de la broma...

—Jajajaja —seguía riéndose a grito pelado—, en serio que es buenísimo.

—¡SALGAN DEL VEHÍCULO Y COLOQUEN LAS MANOS EN ALTO!

Y Santiago, venga a la risa histérica con los ojos vendados dando manotazos al viento. Desternillado.

—Santiago, que te calles de una puta vez —le dijo Luis.

Solo cuando le quitaron la venda de los ojos y se encontró en un paraje que no podía reconocer con varios guardias civiles saliendo de coches patrulla y apuntándoles con las armas, en ese momento se dio cuenta de que o era la mejor broma de la historia o se habían metido en un lío. De los gordos.

La mañana del evento
Hotel W
Barcelona

Matías y Carla, a pesar de estar en la primera planta del hotel, decidieron bajar en ascensor. Era el gran momento. Ahora se trataba de comprobar si le iban a reconocer o no, y estaba hecho un manojo de nervios. Carla, para solidarizarse con la situación, se había puesto una gorra de rapera bling-bling con el pelo recogido y unas gafas de sol del tamaño de un piso de protección oficial. Y del mismo precio. Salieron del ascensor y atravesaron la recepción sin que nadie los mirara. Y se detuvieron justo en la puerta de salida.

—Es tu momento, hermanito, tienes que dar tu primer paso... Vamos a ver: tienes que salir tu solito a la calle, sin gorra ni gafas de sol... vete al quiosco, sonríe al quiosquero, compra un par de periódicos, pasea un poquito y vuelve.

—Carla —protestó Matías—, yo no sé si esto es una buena idea. Me dan ganas de agarrarme a la moqueta...

—Ya, cariño, pero es la única manera que tenemos de asegurarnos de que no te conoce ni tu madre. Porque tu madre no te ha conocido, que lo sepas...

—¿Cómo?

—Pues que le he mandado a mamuchi una foto tuya de medio cuerpo, así un poco de lejos, y no te ha reconocido...

—¿Y eso cómo lo sabes? —preguntó Matías.

—Muy fácil, porque me han mandado un whatsapp que dice: «¿Otra vez te has acostado con un surfero? ¿Otra vez? ¿Qué hemos hecho mal tu padre y yo?».

—¿Eso te ha dicho?

—Sí, y al final del mensaje ha firmado con tres cacas del whatsapp —contestó Carla.

Después de oír esto, Matías se sintió un poco más seguro e hizo el recorrido que le había pedido su hermana. No pasó nada raro, nadie le había reconocido, y eso que le había preguntado al quiosquero hasta por las elecciones. Respiró hondo y Carla le cogió de la mano para meterse juntos en un taxi.

—¿Adónde vamos? —le preguntó Matías.

—Primero vamos a una tienda de pelucas, que he pensado que imagínate que la fastidiamos porque me reconocen a mí y, ya de paso, me apetece una barbaridad pasar 24 horas con una peluca morena, que yo no sé qué se siente siendo morena...

—Carla, ¡que tú eres morena!

—Matías, cuando una se lleva haciendo mechas desde los doce años y depilándose la vagina por completo desde esa edad también, pues una ha perdido la consciencia de su identidad de color capilar para siempre. No hay nada en mi cuerpo que me recuerde ese pasado de morena... yo, que he sido una pionera de la mecha californiana, y ahora tengo que sufrir que hasta hayan sacado un kit casero para que cualquier poligonera pueda llevar mi pelo por cuatro euros...

—Lo que tú digas.

Unos minutos más tarde, ya en la tienda de pelucas, Matías, que estaba disfrutando enormemente del hecho de pasar desapercibido, pudo comprobar en sus carnes la tortura que es encontrar la perfecta peluca cuando se tiene una hermana tan pesada como la suya.

—Esta me hace un poco puta...

—Con esta parezco una lesbiana vasca de buena familia.

—¿Con esos rizos? ¡Oiga, que no soy *stripper*!

—¿Estás de broma? ¿Tengo cara de hacer *cupcakes* y ganchillo, guapa?

Y así hasta que encontró la típica media melena con flequillo francés de toda la vida. Estaba hasta guapa. Después de pagar una barbaridad por esos cuatro pelos («El pelo natural es lo que tiene, y yo no soy *drag queen*», dijo Carla), los dos hermanos salieron de la tienda de pelucas y se fueron a tomar un café a ese bar donde los cafés de medio litro valen casi lo mismo que una hipoteca mensual.

—A ver, tenemos que hablar de varias cosas —le hizo saber Carla.

—Pues tú dirás —dijo Matías sin quitarle ojo a un barista moreno.

—Lo primero, los nombres y los parentescos.

—¿Cómo?

—Pues que nos tenemos que inventar unos nombres nuevos, y desde luego no decir que somos hermanos, al menos delante de la gente. Si lo hacemos, lo hacemos bien, Matías. Parece mentira, con lo organizado que eres, que no se te haya ocurrido.

—¿Y qué has pensado?

—Pues una cosa muy loqui, pero que me encanta —sonrió Carla.

—A ver...

—Nos vamos a llamar Cayetana y Alfonso, y vamos a decir que estamos casados pero que somos una pareja supermoderna en busca de nuevas experiencias. Con lo liberales que son los gays para todo, yo no creo que nadie se vaya a extrañar...

—¿Siempre has estado así de loca? ¿Qué me he perdido? —le preguntó Matías.

—Bueno, y hay otra cosa...

—¿Otra cosa? —protestó—. ¿Qué va a ser ahora? ¿Qué me tatúe la cara de Jennifer López en un muslo para hacerlo todo más creíble?

—No, cariño —le dijo Carla—, es que ahora me tienes que acompañar a hacer un recadito un poco complicado... pero haz el favor de no gritarme...

—¿Y por qué te iba a tener que gritar?

—Pues porque ahora tenemos que ir a una tienda a recoger un pedido.

—Un pedido ¿de qué?

—Droguis... jeje —contestó Carla mirando al suelo.

—¿Cómo?

—Unas pastillitas de nada y dos pollos, que no es para tanto...

—¿Dos pollos? ¿Qué son dos pollos, Carla? —alzó la voz Matías.

—Dos gramos, Matías. Dos gramos de cocaína. Si te parece bien, salgo a la calle con el carnet de identidad en la mano y me pongo como loca a gritarlo con un megáfono...

—Pero, Carla, tranquilicémonos... ¿Desde cuándo eres drogadicta?

—¡Bueno! ¡Ya estamos con los nombres!

—Carla, esto hay que hablarlo con los papás...

—Matías, tú hablas de esto y yo les cuento cómo te has estado tirando al tío Josemari desde los 14 hasta los 21.

—¡Carla! ¿Cómo te has enterado de eso? ¡Eso era mi secreto!

—Sí, como lo de tu homosexualidad; ha sido siempre tan secreto que nos daba risa cada vez que aparecía Ricky Martin y toda la familia callados como muertos para que no te sintieras invadido... Y, por cierto, bravo por el tío Josemari, que de toda la vida ha sido el cañón de la familia... Una pena que se lo llevara esa arpía que no ha parado de hacerle hijos.

—Carla, en serio, en cuanto todo este desmadre se pase, tú y yo tenemos que hablar.

Carla, a la vez que le hacía una foto a la taza de café, le contó que tenían que ir a una tienda en El Borne donde habían quedado con una camella (Matías casi se desmaya al oírlo) que se suponía que tenía solamente clientes megavips y vendía lo mejor del mundo. Matías no podía negarse, estaba en la portada de los dos periódicos que había comprado esa mañana y Carla le estaba intentando tranquilizar a gritos en medio de la cafetería. Estaban ambos tan intensos que no se habían percatado al salir a la calle y coger un taxi de que alguien que estaba en la misma cafetería se había montado en otro taxi después de oírles la conversación y los estaba siguiendo.

La mañana del evento
Barcelona, interior de un taxi

—¡Ponme inmediatamente con el redactor jefe! ¡No! Espera... ¡Ponme con el director! ¡Sí, con el director!

Eduardo López, periodista de ese periódico tan cañero con los escándalos y las corrupciones, estaba que se le salía el corazón del pecho en el taxi. Le había anticipado 50 euros al taxista para que no perdiera de vista al taxi que iba delante de ellos. No se podía creer la suerte que había tenido. Porque aquello era una señal del destino. Le habían mandado a Barcelona a cubrir una parte de la jornada electoral y no le hacía ninguna gracia. Lo suyo eran los casos reales, los sucesos, la denuncia social, pero hacía tiempo que no conseguía una buena historia y el jefe le había dicho que o a Barcelona a «pulsar el caos del centro de la ciudad en directo» o a la calle. Y ahora se encontraba al político que estaba en boca de toda España, disfrazado de no se sabe muy bien qué y vestido de turista surfero en una cafetería como si tal cosa hablando de ¿drogas?

—Redacción, dígame...

—¿Eres Marga?

—Sí, soy Marga. ¿Eres Edu?

—Marga, por favor, pásame con el director ya...

—Edu, a no ser que me vayas a contar que estás desmontando un golpe de Estado o que has pillado al Presidente de la Generalitat besándose en la boca con alguien de la derecha en un bar de motoristas, no sé yo si es una buena idea, que el dire no tiene hoy un buen día...

—Marga, ¿tú has visto nuestro tema estrella de la portada de hoy?

—Claro, lo tengo delante...

—Pues yo también lo tengo delante...

—¿Cómo? —dijo Marga completamente sorprendida.

—Como lo oyes, solo que ahora es otra persona...

—Te paso con el jefe inmediatamente.

Cinco minutos después de hablar en clave con el director para que el taxista no se enterara del asunto, había recibido órdenes claras:

- Tenía que seguirlos allá donde fueran.
- Tenía que fotografiarlos constantemente.
- El dinero no iba a ser un problema.
- Las primeras fotos «con chicha» deberían ser enviadas a la redacción antes de las 3 de la tarde para publicarlas en la edición digital.
- Si conseguía eso, la contraportada era suya (la portada era para el resultado electoral), y recibiría un aumento de sueldo indecente por su trabajo. Verdaderamente indecente.

La cosa estaba clara. La historia de su vida delante de sus narices. Por fin el golpe de suerte con el que siempre había soñado.

La mañana del evento
Hotel Barcelona Palace
Habitación de Ramón y Marijose

El plan era el plan, y a Marijose le temblaban las manos mientras se terminaba de hacer los bucles con la plancha del pelo. Estaba tan nerviosa que tenía ganas de hacer pis, pero le dio por pensar que si hacía pis al mismo tiempo que se pasaba la plancha podía terminar electrocutada, y eso significaría que no habría ni plan, ni fiesta, ni marido, ni amigas ni nada. Cuando terminó se subió a una silla para poder verse de cuerpo entero y decidió que sí: había conseguido el perfecto *look* de tronista por el que los hombres se matan. Con las manos en la cadera y actitud desafiante, entró en el cuarto de baño y esperó a que Ramón terminara de ducharse. Menuda sorpresa se iba a llevar. Pero Ramón estaba tardando...

—Mi vida... —le susurró—. Tu gatita te ha traído un bollito para desayunar... miau... y ahora tienes que adivinar dónde se ha escondido el bollito esta gatita mala... miauuuu.

Marijose iba a lo seguro. Con un marido tan tradicional como el suyo, lo que nunca fallaba era «el momento picantón de película erótica de los setenta pero en moderno». Y claro, si esto de la gatita además se lo decía en tacones, ligueros, bragas transparentes y una boa de plumas que apenas le tapaba los pechos... la cosa iba a ser infalible.

—Miauuuu —siguió Marijose, pensando en la vergüenza que le daba lo que estaba haciendo.

Ramón salió de la ducha y se encontró a lo que hubiera pasado si su mujer fuera una estrella del porno internacional.

—¡Ay, que me pica el bollo... que me pica el bollo! —cantaba Marijose, pidiendo a la Virgen de su pueblo que Ramón hiciese algo, y rapidito. Porque Ramón seguía ahí, de pie, y sin articular palabra.

—Mari... jose —balbuceó Ramón.

—¡Ups! —gimió Marijose, desatando un lado de la braguita—. A esta gatita se le han caído las bragas...

—¡Por Dios, Marijose, que te pierdes! —le dijo Ramón, que seguía sin dar crédito a lo que veía...

—Mira que esta gatita está muy calentita y va a sacar las garritas...

—Marijose, ¿pero qué te ha dado esta mañana, mujer de Dios?

Y Marijose se estaba mosqueando y preocupando por momentos, porque, una vez que había pasado la sorpresa, Ramón no tenía una erección a juzgar por el poco bulto que marcaba bajo la toalla. Y eso le hería el orgullo a cualquiera, incluso disfrazada de cabaretera porno. Era el momento de «todo o nada».

—Miauuuuuuu —y Marijose se puso a cuatro patas poniendo la mejor cara de lagarta que imaginaba que había que poner y comenzó a gatear hacia Ramón, que seguía sin erección a la vista.

—Pero, mujer ¿qué quieres? —le dijo Ramón.

Y aquí a ella se le acabó la paciencia: se intentó quitar la boa de plumas con bastante esfuerzo, se puso de pie y al tiempo que escupía plumas le espetó:

—¡Que me folles, Ramón! ¡Que me tienes frita con tanto fútbol, tanta tele y tanto arriba España! ¡Que hagas el favor de venir y follarte a tu mujer, que tengo ya la sangre socarrá! ¡Qué vengas ahora mismo y me des lo mío y lo de mi prima! ¡YA!

Fue en ese instante cuando Marijose se dio cuenta (porque las mujeres son listísimas y lo que uno tarda tres vidas en aprender ellas lo aprenden en un golpe de látigo) de que su marido era sumiso. A su marido le iba la caña y, desde que le había dado los tres gritos, Marijose tenía enfrente la erección más gloriosa que había visto en tres años de matrimonio y seis de noviazgo. Y ya en la tesitura, desesperada ante la posibilidad de que le fallara el plan, improvisó.

—¡Ven aquí, so perro! —le gritó.

Y esta vez, Ramón fue el que se puso a cuatro patas y avanzó hacia Marijose con una cara de salido que incluso a ella le daba miedo. Hasta que se quedó a la altura de los tacones.

—¡Chúpame la punta de las botas! —le ordenó.

—Marijose, que son zapatos...

—Si yo digo que son botas... ¿qué llevo puesto, perro?

—Botas, llevas botas.

—¡Pues a chupar!

Marijose miró al techo con cara de «Señor, llévame pronto», y mientras Ramón le lamía los zapatos ella pensaba en cuatro cosas:

- Llegar hasta el teléfono para avisar a Bianca y Jasmina de que la cosa iba bien.
- Mandar un ramo de flores y una caja de bombones a

la escritora de *50 sombras de Grey*. Una nunca sabía cuándo el sadomasoquismo le iba a venir de perlas.

- Si pedía el divorcio, ¿con cuánto se quedaba?
- Descongelar unas albóndigas de su madre en cuanto llegaran a casa, que llevaban ya dos meses en el congelador y lo mismo se ponían malas.

Avanzó hasta la mesilla, se sentó en la cama y le gritó:

—¡Y ahora abajo..., al pilón!

Ramón escondió la cara entre los muslos de Marijose mientras ella escribía en el whatsapp:

> Todo va bien. En media hora lo tengo donde yo quiero... lo vais a flipar.

Y en menos de un minuto llegó la respuesta.

> Nosotras terminando de darnos el body milk, mi vidaaaaaa, en media horita nos vemos en la recepción, amoreeee.

Y a continuación dos tartas, un arcoíris, un unicornio y unos 65 corazones.

Las cosas no podían ir mejor.

La mañana del evento
Grandes almacenes
Barcelona

Con Barcelona reventada de turistas, periodistas, políticos y gente llegada de todo el mundo para el «Día D», los grandes almacenes habían aprovechado abriendo sus puertas el mismo día de las elecciones con una oferta anunciada en la fachada en un cartel de diez metros de alto que ofertaba *Senyeras* y banderas españolas a precios de escándalo. «Menudo morro tienen estos, hacernos currar hoy», estaba pensando Raquel, un dependienta en prácticas de la Sección Caballero, cuando le interrumpió un «cura bajito y rechoncho». La misma descripción que usaría dos días después en todos los programas de televisión donde la entrevistarían. Aunque ella, por supuesto, ni se lo imaginaba.

—Buenos días, señorita, necesito ropa de oso.

—¿Cómo dice, Padre? —le respondió la dependiente.

—Que quiero comprar ropa de oso —le repitió el Padre Eduardo.

—¿De oso...? Uy, Espere que voy a preguntar a una compañera... ahora mismo vuelvo.

Desde luego, nada en la vida es fácil; pensó el Padre Eduardo, al que se le estaba complicando esta parte del plan, y eso que yendo a una tienda moderna no debería ser complicado. Una parte fundamental del plan era camuflarse y, en los meses anteriores al gran día, el cura había comprobado que su biotipo iba a terminar convirtiéndose en el disfraz perfecto para pasar desapercibido en medio de la perversión, el latrocinio y el peor Sodoma y Gomorra sobre la faz de la Tierra. El Padre Eduardo, en ese mundo de invertidos que estaban a punto de acabar con la raza humana por vicio, resulta que era un oso. Cuando se mide poco más de uno setenta y se está cubierto de pelo desde la barbilla hasta la uña del pie, eso, en el lenguaje de los homosexuales, le convertía en eso, en un oso. Y en la planta de caballero de aquellos grandes almacenes parecían no tenerlo igual de claro a pesar de que se anunciaban con el lema «Tenemos toda la moda y todas las tendencias a precios increíbles». Menos mal que el Padre Eduardo no oía la conversación que la dependienta estaba manteniendo en esos momentos con su amigo Jaime encerrada en el almacén.

—Jaime, chatín, ¿cómo se llaman los gays estos así modelo leñador pero en gordo, chaparro y con mucho pelo?

—Osos, ¿por? —le contestó Jaime.

—Pues vas a flipar, pero tengo aquí mismo a un cura que me está pidiendo ropa de oso.

—¡Joder, cómo está la Iglesia! ¿En serio?

—No coño, va a ser de broma, que estaba aquí aburrida atendiendo adolescentes con aparato y no tenía otra cosa que hacer que llamarte para inventarme esto...

—Hija, ni con la edad se te va el carácter...

—Bueno —respondió ella—, ¿qué hago?

—¿Me lo puedes pasar al teléfono?

—Claro...

El Padre Eduardo siguió al dedillo las instrucciones que el pervertido amigo de la dependienta la había dado y se dirigió al barrio del Eixample, donde, según le habían dicho, iba a encontrar todo lo que necesitaba. Bajó del taxi y se quedó mirando a la fachada de la tienda «Bearwear», que era un despropósito de correajes de cuero, pantalones cortos y ¿ropa de soldados? Nada más entrar por la puerta de la tienda, al ver que el dependiente perfectamente podría ser un primo suyo de lo parecidos que eran, lo tuvo claro. En el taxi, por cierto, se había quitado el alzacuello y lo había metido en el maletín. Ahora ya no parecía un cura, ahora parecía un camarero. Mucho mejor.

—*Bon dia*, osito ¿en qué te puedo ayudar?

—Pues mire usted, que vengo a ver si aquí puedo comprar ropa de oso...

—Ropa y complementos y lo que haga falta —le explicó el dependiente.

En ese momento, y al comprobar que el dependiente le miraba lascivamente, el Padre Eduardo tragó saliva y reprimió las ganas que tenía de sacar la navaja del maletín y dejarle un recuerdo en la cara a semejante personaje. Pero su ofrenda al Altísimo estaba por encima de todo, y en ese momento no podía permitirse ni un solo traspié.

En menos de media hora, el Padre tenía una bermuda color verde caqui, unas sandalias como de turista americano y una camiseta sin mangas negra donde se leía en amarillo la frase «Donde hay pelo hay alegría». Y el contenido de la bolsa estaba ahora dentro de una minimochila. Y las alegrías no acababan ahí.

—¿Cómo? —le dijo el dependiente—, ¿que has venido solito a Barcelona, que vas al Circuit y que no tienes con quien ir?

—Pues sí, ya ve usted —le ratificó el cura.

—Pues no, de eso nada, y deja de tratarme de usted. Yo, como representante de estilo de los osos catalanes, que no españoles, te doy la bienvenida y te invito a que te vengas con nosotros.

—Hombre, pues si no es molestia...

—¡Para nada! Mira, a las dos cerramos la tienda y vienen un montón de amigos a buscarme para ir juntos a la fiesta del Water Park, que hasta nos hemos alquilado una furgo. ¡Y te vienes con nosotros! ¿No es ideal? Grrrrrr.

Esa era la palabra. Ideal. Una oveja camuflada en medio del rebaño. Ni en el mejor de sus planes lo había visto tan fácil. Y encima le iba a quedar tiempo para buscar una iglesia cercana y rezar todo lo posible. Hoy, más que nunca, la fortaleza del Señor, de la fe y la espada de san Jorge tenían que estar de su lado.

La mañana del evento
Interior de taxi
Barcelona

—¡Vamos al hotel Barcelona Palace, mi vidaaaaa! —le canturreó Bianca al taxista colocándose bien las tetas en el biquini mientras se sentaba.

El taxista llevaba un día horroroso. Primero porque un grupo de independentistas le habían tirado al coche una papelera rellena de estiércol de vaca al ver que en el taxi aparecían *la Senyera* y la bandera española juntas. Con la ciudad colapsada por las elecciones y las hordas de turistas gays por «no sé qué fiesta no sé dónde», todo estaba imposible. Y ahora, para rematar, dos putas. Menos mal que la visión de esas tetas por el retrovisor le iba a dar un respiro.

—¿Qué? ¿Cómo va la mañana? —les preguntó—. ¿A hacer un trabajito tan temprano?

—¿Perdone? —se molestó Jasmina.

—¿Un masajito a un turista calentito? —les dijo el taxista en el peor tono posible de voz.

Jasmina, por desgracia, no era la primera vez que oía algo así y ya se lo vio venir. NO quiso ni mirar de reojo a Bianca porque sabía lo que podía encontrarse. Por eso decidió ser educada.

—Perdone usted, pero nosotras somos empresarias peluqueras...

—¡Ya, y yo modelo de calzoncillos, no te jode! —se carcajeó el taxista—. ¡Si no pasa nada! ¡Que putas ha habido toda la vida y prestan ustedes un servicio a la sociedad! ¡Que yo me estrené con una compañera suya hace ya muchos añ...

ZAS.

El sonido del bolso con apliques metálicos al impactar contra la cara del taxista se oyó hasta en el Tibidabo.

—¡Bianca, por Dios! —le gritó Jasmina.

—¡Ni por Dios ni por la Virgen de Conchabamba! —le gritó Bianca—, que ya son muchos años defendiendo la dignidad de las mujeres transexuales y no va a venir este chavo a llamarnos putas así porque sí...

El taxista, que gracias a Dios estaba parado en un semáforo, se llevó la mano a la cara y vio que estaba sangrando abundantemente por la nariz y estaba poniendo el coche perdido.

—¿Pero estás loca? —le dijo a Bianca.

ZAS.

Otro golpe, y esta vez la hebilla le alcanzó el ojo derecho con una precisión casi quirúrgica.

—¿Primero me llamas puta y ahora loca, pendejo huevón? —le gritaba Bianca.

—¡Ya os estáis bajando del taxi echando hostias! —les gritó el taxista, que seguía sangrando por la nariz y ahora tenía un ojo permanentemente guiñado.

Las dos salieron del taxi y se encontraron en medio de una avenida inundada de manifestantes y con el tráfico colapsado. En biquini, tacones y maxibolso. Y con ese pelazo.

—Voy a llamar a Marijose para decirle que llegamos un pelín tarde —dijo Jasmina intentando tranquilizarse.

En ese momento, un descapotable con un madurito macizo repeinado con gafas de sol y puro en la boca frenó en seco.

—¿Necesitan ustedes algo, señoritas? —Y les sonrió. Bianca y Jasmina se miraron e inmediatamente metieron la barriga que no tenían, arquearon la espalda, sacaron pecho y, con un golpe de melena infalible, le dijeron que sí, que necesitaban que les acercaran al Barcelona Palace.

—Encantado de acercarlas. Suban, por favor —las invitó el madurito sin dejar de sonreír.

Mientras Jasmina le dejaba a Marijose una nota de audio en el whatsapp, no pudo evitar oír a Jasmina decirle al conductor:

—Mi vidaaaa... estoooo... por casualidad... ¿no tendrás tu algo que ver con el fútbol? ¿Tú sales en la tele?

El conductor sonrió, se bajó la gafa de sol, le guiñó un ojo y le respondió:

—Igual sí, igual no...

Y arrancó.

La mañana del evento
Grandes almacenes
Barcelona

La cabeza le estaba empezando a jugar una mala pasada al Padre Damián. Primero, un escalofrío había recorrido su cuerpo al chocar con un extraño en la calle. No sabía por qué, pero no había podido evitar girarse para mirar atrás antes de doblar la esquina. Y cuando lo hizo volvió a verle. Allí estaba ese hombre, parado en medio de la multitud. Una presencia enorme que le hacía destacar sobre el resto. Siguió caminando pensando que se tenía que haber parado. Se había establecido una conexión, pero ¿por qué? No tenía tiempo para pensarlo, no debía pensarlo, no quería pensarlo. El tiempo corría en su contra.

Justo debajo de un cartel gigantesco con una oferta de banderas, su cabeza le había vuelto a engañar. Hubiese podido jurar que en la acera de enfrente el Padre Eduardo se estaba subiendo a un taxi. Pero no podía ser. Desde luego que no. La cara del extraño de la calle volvió a aparecer en su cabeza y decidió apartar esa idea de su mente con todas las fuerzas posibles. Aquello, desde luego, no era nada bueno. ¿Se estaba obsesionando y veía visiones y señales en todas partes? Decidió dejar la mente en blanco y subir hasta la planta de Caballeros de los grandes almacenes. Allí encontró a Raquel, la dependienta que iba a tener la segunda visita inesperada del día. Y la definitiva.

—Buenos días, señorita, necesito un bañador de esos bermuda y una camiseta en el color que esté de moda... ¡Ah, y necesito también una riñonera! —le dijo a una dependienta.

La dependienta se quedó parada mirándole de arriba abajo y sin cerrar la boca.

—Esto debe ser coña —le dijo.

—¿Perdone usted? —contestó el cura.

—O sea —respondió la dependienta a carcajadas—, si esto es una cámara oculta, porque esto es una cámara oculta, que sepas que no ha colado. Un cura tiene un pase, majo, pero dos ni de coña... y encima tú, con lo buenorro que estás, si tú eres cura yo soy la «Maili Sairus».

El Padre Damián estaba comenzando a vivir el día más extraño de su vida y la paciencia se le acababa por momentos. ¿Quién era Maili Sairus?

—Oiga, señorita, que yo lo único que quiero es un bañador y una camiseta moderna, y que no se le olvide la riñonera, que es importante, que voy a una fiesta gay...

—Vamos —y empezó a reírse muy estruendosamente Raquel—, que tu amigo el de antes era el representante de los osos y ahora vienes tú a por uniforme de musculoca... De verdad, cómo os lo curráis la gente de la tele, ja ja ja. Eso sí, la broma es cojonuda.

—¿Cómo dice usted?

—¿Dónde están las cámaras? ¿Dóndeeeee? Jajajajaja ¿Puedo saludar? ¿Cuándo me dan el ramo de flores? —gritaba la dependienta ante el asombro del cura y de media planta, que la estaba mirando.

—Señorita, por favor...

—¡Como esto lo haya hecho la cabrona de la Mariángeles, me parto! ¡Qué crack la tía!... ¡O mi suegra! ¿No habrá sido mi suegra, que es mu jodía pol culo?

Y las carcajadas de la dependienta mientras miraba a todos lados intentando encontrar una cámara oculta se oían ya hasta en el sótano de los grandes almacenes.

—¡Mire, que voy a hacer la croqueta de la risa! —le gritaba al cura intentando abrazarle.

El Padre Damián ni sabía qué hacer ni qué decir. A pesar de trabajar con adolescentes todos los días, obviamente no estaba preparado para una dependienta de grandes almacenes al borde del brote psicótico. Y ya, cuando la vio tirarse al suelo, y efectivamente hacer la croqueta, le dieron unas ganas enormes de salir corriendo. El problema era que tenían ya un círculo de personas rodeándolos asistiendo entre la risa y la incredulidad al espectáculo. Dos turistas japoneses envueltos en *la Senyera* aplaudían fascinados.

—¡Pero se puede saber qué narices pasa aquí! ¡Señorita Carrillo! Pero ¿qué hace usted rodando por el suelo con esa actitud? —gritó un señor de bigote en la nuca del Padre.

Un señor con bigote que era el jefe de planta y que estaba abochornado por el espectáculo. Un señor con bigote que agarró a Raquel por los hombros, la enderezó, la sacudió y le pidió a gritos que se tranquilizara.

—Yo —dijo el Padre— solo le he dicho que venía a por un bañador bermuda y una camiseta de moda, y se ha puesto así la mujer... de repente.

Raquel, que se vio sacudida por su jefe con un cura mirándola como quien ve un extraterrestre, empezó a percatarse de que quizá aquello no era una broma de cámara oculta. Quizá no.

—Es que primero un cura que quiere vestirse de oso, y ahora este... vamos, o esto es una broma o ya me dirá usted, don Ramiro —se intentó explicar.

Y al Padre Damián le entró el segundo escalofrío de la mañana. No se había equivocado. ¡Era el Padre Eduardo!

—¿Cómo dice usted? ¿Ha venido otro cura antes que yo?

—Sí, claro; si no, a ver de qué me entra el jolgorio así... —balbuceó Raquel mirando ya completamente aterrorizada a Don Ramiro.

—¿Y cómo era? ¿Qué quería? —quiso saber el cura.

—Vamos, que esto entonces no es una broma...

—No. Y es muy importante que me diga usted quién era...

—Pues era un cura como usted... Usted es cura, ¿verdad? —preguntó Raquel.

—Sí, señorita, claro que soy cura...

—Pues el otro cura era distinto, usted es más cura pibón...

—¡Señorita Carrillo, por Dios! —le gritó don Ramiro.

—Quiero decir, que era bajito, como regordete y quería comprar ropa de oso...

—¿Ropa de oso? —preguntaron don Ramiro y el Padre Damián a la vez.

—Bueno, ya sabe, esos gays gorditos y con mucho pelo...

—¿Y qué más le ha dicho?

Raquel, ahora sí, asustada, les contó la llamada de teléfono a su amigo Jaime. Les dio todos los detalles que pudo. Y según hablaba, vio como la cara del cura guapo, musculoso y «qué pena que seas cura, que si no te daba lo que no está escrito» iba cambiando de color. Y más asustada se quedó cuando vio salir al cura corriendo escaleras abajo como alma que lleva al diablo. Exactamente así.

La mañana del evento
Carretera Madrid-Barcelona

Como la autovía estaba prácticamente atascada, los Inspectores decidieron que lo mejor era ir por uno de los carriles laterales lo más rápido posible. La teoría de un secuestro terrorista podía, al final, tener algo de verdad.

—A ver, explícamelo todo bien, Marina —le dijo el Inspector Álvarez.

—Tú dale zapatilla y saca la sirena...

—Pero exactamente ¿qué ha pasado?

—Una amenaza de secuestro, exactamente —le contestó la Inspectora—, y pinta mal.

—¿Y por qué tenemos que hacernos cargo de esto nosotros? ¿Dónde narices están las unidades de la Guardia Civil?

—La Guardia Civil está esperando órdenes de la Delegación del Gobierno por si al final hay que sacar los tanques para impedir las elecciones, y le han dicho al jefe que naranjas de la China, que ellos no se encargan, que lo único que van a hacer es mantener a la patrulla de tráfico hasta que nosotros lleguemos pero que no van a mover un pelo... Vamos, que no se quieren mojar.

—¿Y entonces? —preguntó el Inspector.

—Pues, aparentemente, la patrulla los tiene contra el coche y encañonados esperando a que nosotros lleguemos para empezar con las identificaciones.

—¿No los han identificado?

—No han movido un pelo. Y la cosa es rara...

—Define rara —le instó Jorge, intrigado.

—Pues por lo visto el secuestrado tiene un síndrome de Estocolmo de cojones porque no para de gritar que no hagan nada a los secuestradores, que él los quiere y que todo esto es un malentendido.

—¿En serio?

Y tan en serio. Cuando Jorge y Martina llegaron al lugar de los hechos se encontraron con esta bonita estampa:

- El que parecía ser el secuestrado, con un antifaz tapándole media cara y gritando: «¡Que llamen a mi novio, que lo va a explicar todo! ¡Que no me han secuestrado!».
- El conductor de la furgoneta, paralizado, de rodillas en el suelo y llorando a lágrima viva balbuceando palabras ininteligibles. En castellano, eso sí. Y esto descartaba la opción islámica totalmente.
- Uno de los presuntos secuestradores, con la peluca torcida, una gorra en la mano y enormes gafas de sol, partido de risa preguntando a los agentes si tienen fuego «pa un porrito, que relajaditos las cosas se hablan mejor».
- El otro presunto secuestrador, a su rollo diciéndole a un guardia civil que esa agresividad era fruto de que el agente «era Escorpio con ascendente Géminis con toda probabilidad».

Martina y Jorge se miraron sin saber qué hacer. La patrulla de la Guardia Civil, efectivamente, se había dedicado a retenerlos y nada más. Jorge se dirigió hacia el secuestrador que olía a porro y le quitó la gorra, la peluca y las gafas de un manotazo.

—¡A ver, identificación! —le gritó.

Pero no hizo falta. En ese mismo momento, la patrulla y los dos inspectores se quedaron boquiabiertos. ¿Miguel Ángel González, el protagonista de *Tú a Chiclana y yo a Porriño...* estaba secuestrando a alguien? Y lo peor de todo: ¿por qué le había dado un ataque de risa horroroso y estaba tirado panza arriba histérico perdido en medio del arcén?

—Oigan, ¿me puedo quitar la peluca? —solicitó el otro presunto secuestrador.

Y se la quitó. Y cuando vieron que era Luis Rivas, el otro protagonista de la película española más taquillera de todos los tiempos, se quedaron pálidos.

—Pero ¿esto...? —preguntó la Inspectora.

—¡Esto era una broma y llevo una hora tratando de explicárselo a estos garrulos! —gritó el secuestrado, cayendo de rodillas al suelo y levantando las manos hacia el cielo. Alejandro se agachó para ayudarle.

—¡Oiga, un respeto, mameluco! —le gritó un guardia civil.

—¡A ver, tranquilicémonos, que me estoy poniendo nerviosa y yo cuando me pongo nerviosa primero te reviento y luego te pregunto! —gritó la Inspectora, dejándolos a todos mudos.

—¡Tú, el que llora! Ponte de pie, explica qué pasa y deja de llorar de una puta vez, ¡hombre ya!

Alejandro se puso de pie, dejando caer a plomo a Santiago al suelo, se secó las lágrimas un poco avergonzado y les explicó:

—Miren ustedes, que lo he contado ya cuatro veces a estos señores de las pistolas que se niegan a escucharme, vamos a ver cómo les hago entender yo esto... Me da la sensación de que a Miguel Ángel y a Luis ya los conocen ustedes. Pues yo soy el productor de la película y este señor de aquí, el del antifaz que no para de llorar, resulta que es el director y resulta también que se casa mañana y fíjense ustedes lo terroristas que somos que lo hemos traído engañado a Barcelona para celebrar la despedida de soltero en la fiesta de la piscina del Circuit...

—Pero si eso es de truchas... —dijo un guardia civil.

Indignado, Alejandro le respondió:

—¡Oh, qué escándalo! —gritó—. Es que se casa, pero... ¡con un hombreeee! Vamos, que es trucha... ¡Y yo también soy trucha! ¿QUÉ PASA?

El Inspector Jorge, sin poderlo evitar, dijo:

—Yo también soy gay.

—Y yo —contestó mosqueada la Inspectora.

—Nos han invadido, Aurelio —le comentó un guardia civil a otro.

—¡Eh, tranquilos, que yo no soy maricón! —protestó Luis.

—¿Hacerte pajas de pequeño con un primo cuenta como bisexual? —masculló Miguel Ángel por lo bajinis.

—¿En serio, tío? —preguntó alucinado Luis—. ¿Te van los pitos? ¡Amos, no me jodas!

—Me dejas muerto, Miguel Ángel —fue la reacción de Santiago.

—Así me besabas con esas ganas, marrano... —le dijo Luis.

En ese momento fue cuando la patrulla de la Guardia Civil avisó a los inspectores de que se iban y que ya si eso se hacían cargo ellos de ese «atestado gay» entre risitas.

Diez minutos después, los inspectores, que habían visto cada uno cuatro veces la película, se estaban haciendo selfies con los actores y les pidieron disculpas unas veintitrés veces.

—La pena es —intervino Santiago— que se nos ha fastidiado el plan...

—De eso nada —les dijo el Inspector—, ustedes se merecen una despedida de soltero por todo lo alto y nosotros nos encargamos de que lleguen a tiempo a la fiesta... ¡Faltaría más! Síganos, que ponemos la sirena y llegamos en un pispás...

—¡Nos vamos! —gritó entusiasmada la Inspectora.

—¿Y tú tienes novio, guapa? Que me he puesto to verraco viéndote la pistola —le dijo Luis a la Inspectora.

—¿Y si fuera lesbiana, listillo?

—Pero ¿lesbiana del todo?

—Venga y métete en el coche, que nos vamos —instó la Inspectora al tiempo que comprobaba que Luis Rivas, efectivamente, tenía el culo perfecto.

—Oiga, ¿y qué hacemos con nuestro coche? —preguntó Santiago.

—Se queda aquí aparcado, que con nosotros llegáis más rápido, y a la vuelta os traemos —le explicó Jorge.

—¡Qué maravilla las fuerzas del Orden! —gritó Alejandro.

Y arrancaron rumbo a la fiesta de sus vidas.

La mañana del evento
El Borne, Barcelona

Carla y Matías hicieron el resto del trayecto en taxi en silencio, y la tensión entre los dos se podía masticar. Cuando aparcó en la puerta de «Droguería Montse», en pleno barrio del Borne, y bajaron del taxi, Matías lo intentó por última vez. Tenía que hacerlo.

—Carla, por Dios, piensa bien lo que haces... ¿Adónde te va a conducir este consumo de estupefacientes?

—Matías, primero me va a conducir a la fiesta del Water Park y después nos va a conducir a un pedo de escándalo que nos va a venir de maravilla para relajarnos, por lo menos a mí, que vaya mañana que me estás dando...

—¿Nos va a conducir a un pedo de escándalo? ¿Nos? —alzó la voz Matías—. ¿No se te habrá pasado por la cabeza que yo...?

—Matías, por favor, con el cuadro tan grande que tienes encima deberías dejarte llevar un poco, que los de la izquierda para envenenar a los medios están diciendo en

Twitter ahora mismo que tienen unas fotos tuyas trabajando de *drag queen* en Torremolinos de adolescente y que pensaste incluso en ponerte tetas...

—¿Yo? ¿En Torremolinos?

—Sí, y de *drag queen*, y sinceramente espero que esas fotos no existan, porque tú de mujer tienes que estar espantoso, Matías, las cosas como son.

Mientras discutían, no se percataron de que antes que ellos un chico bajito había entrado en la tienda y hablaba con la dependienta de encontrar el perfecto quitagrasas y el limpiacristales 10. Le pidió muy amablemente a la chica a ver si le podía sacar varias marcas para pensárselo. Eduardo tenía sus trucos de periodista de investigación.

—Buenos días, ¿qué opinas de Paris Hilton? —le preguntó Carla a Montse, la dependienta que lucía trenzas y un poncho en pleno agosto.

—Que es un herpes con patas —le respondió la otra.

—¿Y de Lindsay Lohan? —volvió a preguntar Carla.

—Que es el futuro.

Y en ese momento se dieron un abrazo como si hubieran sido compañeras de internado en Suiza y llevaran quince años sin verse.

—Era la contraseña —le susurró Carla a Matías, que en ese momento decidió salir a la calle porque le parecía indecente asistir a la compra de drogas por parte de su hermana.

Al periodista, claro, se le fastidió la exclusiva, porque no era lo mismo un diputado gay en medio de una compra de drogas que un diputado esperando en la calle a que otra persona comprara drogas. Lo único bueno era que esa persona era su hermana y, por lo tanto, podía ser noticia. Se mirase como se mirase, el diputado estaba cooperando en la comisión de un delito.

—Bueno, bonita —dijo Montse saliendo de la trastienda con una cajita en la mano—, pues aquí tienes los salvaslips, que ya verás qué cómoda, qué fresquita y que limpia vas a estar y ya verás qué fácil son «de colocar»... ¡Se colocan casi solos, cariño!

Carla, sonriendo, le dejó dos billetes de 100 euros sobre la mesa y le dijo:

—Muchas gracias, Montse, cariño. Qué sería de nosotras, las chicas de buena familia con obsesión por la higiene íntima, sin ti...

—Pues vuelve cuando quieras —le contestó—, que la semana que viene me llegan unos tampones de Tokio que es ponértelos y sentirte limpia, limpia y limpia.

—Pues lo mismo me paso, que nunca se sabe. ¡Ciao, preciosidad! ¡Me encanta tu poncho!

El periodista salió detrás de ella justo a tiempo para escuchar a Carla decirle al taxista que iban a la fiesta del Water Park. A continuación, miró a derecha e izquierda pero no había taxis. No se puso nervioso porque sabía dónde encontrarlos, así que aprovechó para llamar a redacción.

—Marga, soy Edu, pásame con el jefe...

—Inmediatamente, cariño. ¡Qué fuerte lo tuyo!

Eduardo López le contó a su director lo que había pasado hasta ese momento.

—O sea —le respondió el director—, ¿me estás contando que tienes en cámara a la hermana del diputado gay comprando una caja de compresas que cuesta doscientos euros en una droguería de toda la vida?

—¡No eran compresas! ¡Eran drogas! —protestó Eduardo.

—Ya, y esto lo vamos a poder demostrar porque la cámara de tu teléfono tiene rayos X y vamos a poder publicar unas bonitas radiografías de una caja de tampax con cocaína dentro, claro, claro... ¿Pero tú te crees que soy gilipollas, Eduardo?

—¡Y dale! ¡Que son salvaslips con drogas!

—Mira, Eduardo, te quedan unas pocas horas para poder conseguirme un material bueno...

—Ahora voy a seguirlos hasta ese festival gay.

—¿El diputado se va a un festival gay? —se sorprendió el jefe.

—Pues sí, y si lo piensa bien no es mala idea; con lo que está pasando hoy en Barcelona, desde luego nadie le va a buscar ahí... ¿Le sacan del armario y se va a un festival gay? Mucho sentido no tiene...

—Es el viejo truco de esconder el libro en una biblioteca —dijo el jefe—, y parece que aún nos queda esperanza...

—Ahora mismo pillo un taxi y voy de camino —dijo Eduardo.

—Pégate a él, intenta ligar con él, bésale, drógale... ¡lo que haga falta! ¡Quiero esas fotos antes de las cuatro!

Y colgó el teléfono.

Eduardo salió a una calle principal a coger un taxi y, cuando ya iba de camino a la fiesta, se sintió deprimido. ¿Qué era lo peor que podía pasar en esa fiesta? ¿Un gay en una fiesta de gays? ¿Unas fotos en bañador ligando con alguien? Eduardo sentía que la noticia al final se le escapaba entre los dedos.

En unas horas se daría cuenta de su error.

La mañana del evento
Hotel Barcelona Palace
Recepción

Marijose no dejaba de mirar su móvil y estaba empezando a ponerse nerviosa cuando de repente las vio entrar. Desde luego, si hubiesen querido que la cosa fuese discreta lo estaban haciendo fatal. En el tramo de la entrada al mostrador, un botones atropelló al chihuahua de una huésped, un recepcionista se escaneó la mano por error, catorce señoras pensaron «menudas guarras» y un señor de Burgos tuvo un conato de infarto ante la visión de Bianca y Jasmina.

—¡Mi gorda bellaaaaaa, disculpaaaaaa, ya estamos aquíííííí! —gritaba Bianca intentando que el pareo no se le enganchara con la puerta giratoria.

Ramón, sin embargo, callado y sentadito en un sofá, no daba crédito a lo que veía. Dos mujeres de bandera de esas que solo salen en las revistas, dos diosas caribeñas prácticamente desnudas y en tacones que avanzaban hacia Marijose llamándola por su nombre. Y las acompañaba un señor con pinta de rico y, espera... ¿ese no era el del fútbol?

—Ramón —le amonestó Marijose con tono firme—, haz el favor de saludar a mis amigas Bianca y Jasmina y a... ¿su amigo? Oiga... ¿usted no es...?

—Encantado, señorita, a sus pies para lo que haga falta —dijo Ramón sin casi poder apartar la vista de las dos gacelas que tenía enfrente y pensando que esto le iba a convertir en un ídolo de masas en su pueblo cuando lo contase.

—Este es mi esclavo y marido, Ramón —dijo Marijose.

—Perdona, cosa linda..., ¿esclavo? —se extrañó Jasmina.

—¡Uy la de cosas que os tengo que contar!... ¿Podemos tomar un café aquí en el hotel antes de salir? —les preguntó Marijose un pelín inquieta.

—¡Claro, mi vidaaa! —respondió Bianca.

—¿Podría vuestro amigo quedarse con Ramón un ratito mientras tanto?

Bianca avanzó hacia su amigo, le colocó sus pechos ultrahidratados a la altura de su nariz gracias a las sandalias de 14 centímetros que llevaba y le susurró algo al oído. Inmediatamente, el amigo de las chicas les dijo:

—No os preocupéis, que Ramón y yo os esperamos aquí el tiempo que haga falta. Vosotras tomaros el café bien tranquilas, que de aquí no nos movemos—. Y todo esto lo ofreció con una gran sonrisa y lo que a Marijose le pareció una incipiente erección. Menuda mañana de erecciones inesperadas llevaba Marijose.

Una vez sentadas en una mesa con un café y dos refrescos de cola sin azúcar (de la marca que estáis pensando), Marijose comenzó:

—Resulta que esta mañana yo iba decidida con mi plan de los tres polvos para dejarle amamonao y Ramón no estaba nada receptivo, pero nada de nada, y yo que me entraban los sudores vestida de guarrilla, y claro, me he puesto histérica porque he pensado que todo nuestro plan se iba al garete y me iba a volver al pueblo sin vacaciones, sin fiesta en la piscina, sin vosotras y con un marido impotente...

—Ay, virgensssssita, qué drama... —le interrumpió Jasmina.

—Y me pasó lo que siempre me pasa cuando me pongo histérica —dijo Marijose.

—¿Y qué te pasa? —quiso saber Bianca.

—¡Que me pongo hecha un pitbull!

—¿Haces raps divinos? —entonó Jasmina.

—No mujer, que me pongo como un perro furioso y no paro de dar gritos... y entonces, Ramón, al verme así, vestida de cupletista porno y llamándole de todo a grito pelado, pues va el muy guarro y se empalma como no se ha empalmado en la vida... Daba gloria verlo...

—¿Y? —preguntaron Bianca y Jasmina al unísono emocionadas.

—Pues en ese momento he dado gracias al altísimo por haberme leído los tres libros de *50 sombras de Grey* a escondidas y saber que el sadomasoquismo puede instalarse un buen día hasta en la vida de un matrimonio tradicional como el nuestro. Si lo llego a saber, le cruzo la cara a bofetadas la misma noche de bodas.

—¿Y qué has hecho?

—Básicamente, echarle los tres polvos con mucho aparato y siendo muy sofisticada, decírselo todo a gritos y pellizcarle el pezón derecho cuando no me hace caso, que me he dado cuenta de que le duele muchísimo pero le gusta, y da gracias que no había una vela en la habitación, que si no le llego a depilar hasta las cejas...

—¡Menudo papayaso! —exclamó Jasmina—. Yo, que siempre he creído que los problemas de un matrimonio se arreglan con cenas románticas, ramos de flores y lencería fina...

—Tú es que a veces tienes una cachetada muy grande, Jasmina —le dijo Bianca, y le preguntó—: Entonces... ¿ahora qué hacemos con el plan?

—Pues básicamente lo mismo, pero con vuestro amigo de comparsa —respondió Marijose— los emborrachamos, los despistamos, los dejamos durmiendo la siesta y nosotras a divertirnos y que nos encuentren cuando puedan, y que se le ocurra a Ramón decirme algo, que le mando a su madre dos fotos que le he hecho a cuatro patas con un body mío y una toalla en la boca...

—Marijose, por Dios..., te estás viniendo muy arriba, ¡eres muy diva latinaaaaaa! —exclamó Bianca a punto de aplaudir.

—Yo lo de la toalla lo veo exageradote —objetó Jasmina.

—Por cierto, vuestro amigo... ¿es quien yo pienso? —insinuó Marijose.

—Calla, calla —le dijo Bianca—; nosotras como que no nos enteramos, nos hacemos un poco las extranjeras y este hace lo que le digamos a golpe de melena.

Dicho y hecho, las tres mujeres en biquini, pareo y tacones se plantaron delante de Ramón y Juan (así se había presentado el amigo) y les comunicaron que ya era hora de irse a la fiesta de la piscina. Juan pareció no entender a qué piscina iba, pero con aquellos dos bellezones le daba igual. Lo único que tenía que hacer es reírles la gracia a ese matrimonio de catetos y librarse de ellos lo antes posible para quedarse con las chicas. Lo había hecho antes. No iba a suponer ningún problema. En absoluto.

La mañana del evento
Barrio del Eixample
Barcelona

La penumbra del templo había sido perfecta para esconderse en uno de los confesionarios para dedicar la oración al Señor y prepararse para la batalla. Emocionado por los futuros acontecimientos, el Padre Eduardo salió al pasillo central, se santiguó y, justo antes de salir de la iglesia, se dio la vuelta para mirar una última vez la imagen de Jesucristo.

«Quizá nadie me entienda hoy, Padre, pero las generaciones venideras no solo lo entenderán, sino que además lo agradecerán. Mi fe es leal y mi corazón puro», pensó.

Allí parado, intentó de nuevo con todas su fuerzas comunicarse telepáticamente con el Señor y le volvió a pedir que le hiciera una señal si lo que iba a hacer estaba mal. Pero en lugar de la señal, lo que se le apareció fue una señora enana vestida de negro por detrás que le dijo:

—¿A usted le parece bonito venir así vestido a la casa del Señor?

El Padre Eduardo estuvo a punto de contestarle a la feligresa, pero se dio cuenta de que el disfraz de turista pervertido funcionaba a las mil maravillas. Canturreando un salmo, se dirigió hacia la tienda. Ya eran casi las dos en punto y a esa hora le había prometido estar allí al dependiente.

Lo que vio al llegar a la tienda le revolvió el estómago más allá de lo esperado. Esto, sin duda, era una señal que le mandaban desde el cielo para poner a prueba la fortaleza de su espíritu y su fe ciega en el empeño. Un grupo de unos diez hombres hablaban a grito pelado en la puerta de la tienda, se abrazaban, dos de ellos se estaban dando un beso ¡de tornillo! y para más inri... ¡se hablaban en femenino! La confusión de géneros, no había duda, era obra de Satanás. Menos mal que aquello no iba a durar mucho. El solo pensamiento de compartir espacio vital con aquellos engendros le hacía sudar la gota gorda.

—Cariño, ¡ya estás aquí! —le gritó el dependiente al verle—. ¡Ven, que te presento a la manada!

La manada consistía en unos hombres que se hacían pasar por gente educada, pizpireta y simpática con la única intención de arrastrarle al lado oscuro. Detrás de aquellos abrazos, saludos y risotadas se escondía Sodoma y Gomorra. El mal a veces tiene curiosas encarnaciones en forma de señor peludo.

Una vez que todos estuvieron presentados, entraron en la tienda para brindar juntos antes de ir a la fiesta.

—¿Qué quieres beber, Eduardo? —le ofreció el que se llamaba Sergi.

—Pues un agua mineral, si es posible —contestó.

—¿Con chorri o sin chorri?

El Padre Eduardo podía ser muchas cosas, pero no era tonto. Durante los meses en los que había planificado todo había aprendido que el chorri era el nombre callejero que le daban los gays al GHB, la misma droga que llevaba repartida en botecitos en la mochila mezclado con cicuta. La salvación final.

—¡Uy —respondió el Padre Eduardo—, todavía no, que es muy temprano! Yo el chorri lo empiezo a tomar cuando lleguemos a la fiesta, que me da cosa marearme en el viaje de ida, y no es plan...

—Como quieras, cariño —le respondió Sergi, que sí se puso una dosis de chorri en su vaso.

Por momentos se iba poniendo más y más nervioso. Ver a aquellos hombres consumir drogas (al menos, algunos de ellos) y tocarse, hablar lascivamente y decirse una ordinariez tras otra le estaba sacando de sus casillas. Y no paraba de sudar. Sudaba a chorros. Y uno de los osos se dio cuenta.

—Ya sé por qué no quieres chorri, ladrón —le dijo.

—¿Ah, sí? —le preguntó el Padre.

—Tú vas de pastillas hasta el culo, majo...

—¿De pastillas? —dijo el Padre Eduardo, intrigado.

—Hasta el culo; si no, de qué vas a estar sudando así... Toma una toallita perfumada, anda...

Cuando se pasó la toallita refrescante por la cara, recordó, por su investigación sobre drogas homosexuales de diseño, que en algunos locales donde se escuchaba música tecno, la droga favorita eran los éxtasis o pastillas. Y uno de los síntomas eran unos sudores que no eran de este mundo. Por lo tanto, el Padre Eduardo se limitó a poner cara de «jolines, me has pillado», y listo.

—Pero si al final vas a ser un encanto —le dijo el que le acusaba de pastillero.

—Bueno, ¿estamos todos listos ya? —gritó el dependiente.

—¡SÍ! —contestaron todos a la vez.

—Pues... ¡a la furgoneta, que nos vamos! ¡A LA FIES-TAAAAAA!

Salieron todos a la calle y fueron entrando poco a poco en la furgoneta. Y justo cuando entraba, al Padre Eduardo se le heló la sangre.

¿Qué hacía el Padre Damián a unos doscientos metros dirigiéndose hacia ellos vestido con unas bermudas estampadas, una mochila y una camiseta tres tallas más pequeña?

Estaban ya todos montados en la furgoneta y el Padre Eduardo estaba sentado junto a la ventana. Con el terror instalado en el cuerpo giró muy lentamente la cabeza y le vio. Y el Padre Damián también le vio desde la acera de enfrente.

—¡Arranca ya! ¡ARRANCAAAAAAAAA! —grito desesperado.

Todos se quedaron mudos, pero arrancó inmediatamente. Y cuando ya estaban en marcha, Sergi preguntó al que tenía al lado:

—Pero ¿a este qué le pasa?

—Nada, que le acaba de dar un subidón de pastilla que te mueres...

El padre Eduardo casi no podía ni respirar de la tensión nerviosa. Y peor se puso cuando el conductor dijo:

—Niños..., ¿habéis visto el pedazo de chulo que viene corriendo detrás de la furgoneta?

CUARTA PARTE

Cuarta parte
Barcelona centro

Corrió todo lo que pudo. Pero no fue suficiente. El Padre Damián persiguió a la furgoneta donde iba el Padre Eduardo hasta que las fuerzas le fallaron. Haber sido el sacerdote ganador de la carrera de los 100 metros libres entre seminaristas de toda España esta vez no le había servido de nada.

Cayó de rodillas, presa del agotamiento, en la calle y se llevó las manos a la cabeza.

Estaba tan agotado, respiraba con tanta dificultad, que fue incapaz de ver que un coche se le echaba encima. Tan solo al oír el frenazo giró la cabeza.

Y entonces sí: justo antes de ser atropellado y ver quién conducía, pensó que aquello tenía que ser una señal.

Cuarta parte
Entrada al Water Park

El taxi que llevaba a los dos hermanos se paró justo enfrente de la entrada principal del recinto donde se celebraba la fiesta.

—¿Le importaría dejarnos un poquito más adelante? Allí más al fondo, donde el parking, por favor —le dijo Carla al taxista.

—Pero si esta es la entrada...

—Usted no se preocupe, avance unos cien metros y, por favor, usted a lo suyo, que no hace falta que mire atrás —contestó Carla entregándole un billete de 50 euros al taxista.

—Como usted diga.

A continuación, Carla sacó un botellín de agua del bolso y un botecito marrón con un gotero. Vertió en el botellín dos dosis de gotero y se lo pasó a Matías.

—¿Esto qué es? —le preguntó.

—Nada, unas flores de Bach, que estás nerviosísimo —le contestó ella.

—Oye, esto no tendrá droga, ¿verdad?

—Matías, cuqui, ¿cómo iba yo a drogarte sin tu permiso? ¿Estás loco?

Matías bebió un trago largo de la botella y no protestó porque estaba literalmente hipnotizado con lo que veía. La misma cara que a uno se le pone de niño cuando va por primera vez a un parque de atracciones. Tanto hombre junto y Matías tan soltero. De hecho, había empezado a notar un cosquilleo en sus partes nobles. La testosterona le aparecía a uno sin avisar por mucho que uno estuviese empeñado en no salir del armario. Y ese subidón de masculinidad era más que evidente en Matías.

—¡No puede estar pasando esto! —le gritó Carla.

—¿El qué? —se giró de repente Matías.

—Eso, Matías, eso... y yo dándote flores de Bach.

Carla, con las maxigafas de sol a medio bajar, señalaba directamente a la bragueta de Matías, que mostraba un ímpetu inusitado. Matías estaba empalmado como un adolescente y, al darse cuenta, dio un respingo, se tapó el paquete con las manos y se puso como un tomate.

—Carla, por Dios..., ¿no podías mirar para otro lado?

—No, si lo que me deja maravillada es comprobar que sigues siendo humano... Mamá llegó a decir una Navidad que conocía licuadoras con más capacidad de emocionarla que tú.

—¿Eso ha dicho Mamá?

Carla arqueó las cejas y abrió la caja de salvaslips que había comprado y, sin quitar ojo al taxista, por si se le ocurría mirar, extrajo unas minibolsitas blancas rellenas de un polvo blanco y otra bolsa con unas cuantas pastillas de colores dentro. Luego abrió el bolso y rebuscó hasta que encontró un condón.

—¡Carla, por el amor de Dios! —le gritó Matías—. Ahora... ¿qué? ¿Un incesto?

—Matías, por favor, qué bofetón tienes a veces..., ¡qué bofetón!... ¡Y usted, haga el favor de mirar al frente, coño! —le gritó al taxista.

—Yo, si no les importa, me fumo un cigarrito fuera —les dijo— hasta que ustedes terminen, y tengan cuidado de no mancharme nada...

—No irá usted a pensar que... —empezó Matías.

—Yo por mí, mientras el taxímetro siga corriendo y no me ensucien el taxi, como si les da por bailar un pasodoble torero. —Y salió del taxi.

—Matías, si no te importa, haz el favor de mirar a los chicos que hacen cola y deja de mirarme a mí. ¡Mira qué guapos son!

—¿Se puede saber qué vas a hacer ahora con ese condón, Carla? Porque no creo que vayas a inflar un globo precisamente...

—¡Todo! —protestó ella—. ¡Hay que explicárselo todo! ¡La paciencia que una tiene que tener para llevar una vida moderna!

—Carla, es que llevo unas horas que estoy empezando a pensar que en vez de mi hermana estoy viviendo con la protagonista de un documental sobre muchachas marginales de barrio.

—¿Tú quieres que acabemos detenidos, Matías?

—¿Estás loca?

—Loca estoy, pero esto es por nuestra seguridad, así que sé obediente y espérame en la calle charlando con el taxista...

—¡Me niego a moverme de este asiento sin antes saber lo que vas a hacer! —le gritó Matías en un tono sorprendentemente agudo.

—Mira, Farinelli, lo que voy a hacer es introducir las drogas en el condón, cerrar el condón, forrarlo con otro condón y a continuación introducirme el condón donde estás pensando... lo que viene siendo mi vagina, vamos.

—Dime que es broma.

—Es la única manera de entrar a la fiesta con «las chuches» y que no tengamos un problemita, porque imagínate el problemita del diputado gay y su hermana cargaditos de estupefacientes, como dices tú, en una fiesta megagay en una piscina el día de las elecciones en Cataluña. Ya estoy viendo el titular: «Diputado sarasa y cocainómano en una orgía gay mientras la nación se rompe en dos».

—Te espero fuera, no quiero saber nada de esto —dijo Matías enfadado, y salió como una centella del taxi.

Unos cinco minutos después, Carla salió del taxi, se atusó la peluca, pagó al taxista y se dirigieron hacia una puerta que ponía «Entrada Vip». Solo había unas diez personas delante de ellos y Matías estaba poniéndose histérico. Le temblaban las manos, se le cayeron tres veces las gafas al suelo hasta que consiguió volver a ponérselas perfectamente, pero al revés.

—O te tranquilizas o se van a dar cuenta y nos vas a poner en un aprieto —le susurró Carla.

Pero aquello era superior a sus fuerzas. Así que, cuando llegaron al control de acceso, y viendo el tembleque del diputado, un miembro del equipo de seguridad les dijo:

—Perdonen, pero tenemos que efectuar un registro. ¿Me puede abrir usted el bolso, señorita?

—Uy, de mil amores, caballero —sonrió Carla.

El motivo de la sonrisa de Carla era que, cuanto más musculado, más tatuado y más pinta de haber atracado un banco en las últimas veinticuatro horas... más le gustaba un hombre. Y el chico de seguridad era una fantasía erótica en carne y hueso. Por lo tanto, Carla empezó a coquetear, se acarició el pelo, se ajustó los pechos y sonrió a lo loco mientras le revisaban el bolso, hasta que el seguridad le dijo:

—Ni se moleste, señorita; conmigo cero tonteos, que juego en el equipo contrario. Ahora..., su amigo —y señaló con el dedo a Matías.

Matías se vio señalado por ese dedo gigante de ese tío enorme y estuvo a punto de ponerse a chillar, presa de los nervios y de un subidón de calor que le estaba dando por momentos. El de seguridad comenzó a cachearle y, justo cuando le colocó la mano entre las piernas (un lugar muy común para esconder cosas que no deben ser encontradas), volvió a suceder. Una erección tan furiosa que llega a estar más cerca el de seguridad y hubiera terminado con una fractura de mandíbula.

—Todo correcto, pueden ustedes pasar... Y una cosa... —añadió el seguridad señalando otra vez a Matías.

—Usted dirá —dijo Matías, ya absolutamente avergonzado y sudando a mares.

—Salgo a las doce —le contestó, y le guiñó un ojo.

—¡Lo que faltaba! —protestó Carla—. ¡Intentando levantarse a mi marido! ¡LO-QUE-FAL-TA-BA! ¡Y en mis propias narices!

Agarró a Matías del brazo y le arrastró por el recinto hasta que llegaron a una barra.

—Un gin-tonic de Hendricks con pepino y pétalos de rosa, y a este le pones una Coca-Cola light y sin cafeína, que ya viene sobreexcitado de casa —le gruñó Carla al camarero.

—¿Y los tickets? —Hendricks preguntó el camarero.

—¿Qué tickets? —le ladró directamente Carla.

—Los tickets para canjear por bebidas. Primero se compran en aquella taquilla y luego se viene a pedir la bebida a la barra que quieras...

—¿Pero nada va a ser fácil hoy? —protestó Carla.

El camarero se encogió de hombros.

—Mira, voy a por los tickets y mientras me echas un ojo a mi marido, que está hoy hipersensible y no se entera de nada... y yo te dejo una buena propina.

Matías, entre tanto, y sin perder la erección, se encontraba mirando a los cientos de hombres esculpidos que atravesaban la entrada principal como hipnotizado. Un mareo le estaba empezando a desestabilizar por momentos.

—¿Tu marido es el empalmao? —le dijo el camarero.

—El mismo —le contestó ella molesta.

—Pues ya le puedes ir dando una ducha de agua fría o le van a seguir haciendo fotos...

—¿Cómo? —se sorprendió Carla.

Pero no hizo falta respuesta, porque Carla reconoció inmediatamente a la persona que le estaba haciendo fotos a su hermano.

—¡Tú... agárrame esto, que ya mismo vuelvo! —le gritó al camarero al tiempo que les estampaba el bolso contra el pecho.

El camarero le vio dirigirse a la velocidad del rayo (a pesar de esos tacones) al fotógrafo. Giró la cabeza y vio que el presunto marido seguía empalmado con la mirada perdida. Y cuando volvió a mirar a Carla, pudo comprobar que se había lanzado encima de la persona que estaba haciendo fotos y le rociaba los ojos con un espray mientras el otro intentaba arrancarle ¿una peluca?

Justo en ese momento, cuando los gritos de «¡Mis ojos! ¡Mis ojooooooos!» inundaban el recinto, llegaron los de seguridad.

—Joder, y eso que acabamos de empezar —le dijo el camarero a Matías, que, obviamente, no le escuchaba.

Cuarta parte
Water Park

Los gritos inundaban la entrada del recinto. No podía ver exactamente lo que pasaba porque varias personas tapaban el tumulto. Pero su instinto le decía que tenía que ir rápido.

—¡Pelea! ¡Pelea!

Eduardo López, como buen periodista, siguió su corazonada y se dirigió rápido hacia el corro de personas que estaban a un lado de la entrada. Y lo que vio le dejó absolutamente perplejo.

Carla, la hermana del diputado con una peluca en la mano estaba a golpe limpio con un chico de aspecto homosexual y delgadísimo pero con tupé, bolso de mano enorme y unas gafas de sol aún más grandes mientras varios miembros del equipo de seguridad hacían lo imposible por separarlos. A Eduardo el chico le sonaba de algo, pero no sabía muy bien de qué. El hecho de que Carla y el agredido iban cubiertos de *body milk* pantalla total los hacía especialmente resbaladizos y difíciles de coger, todo hay que decirlo.

—¡Lo mato! ¡Yo lo mato! —gritaba Carla.

—¡Quitádmela de encima, que me mata! —gritaba el chico del tupé sin soltar su teléfono móvil.

—¡Que me des el móvil! —seguía Carla, intentando cegarle a golpe de espray de laca.

—¡Socorro! ¡Mi pelo! —gritaba el otro.

Y a menos de diez metros de todo aquello, el señor diputado con cara de vaca mirando al tren y lo que parecía ser una erección caballuna en bermudas y camiseta de tirantes. Por supuesto, Eduardo no dejó de hacer fotos, aunque no tenía claro si era más interesante la pelea de gatas o el bulto del hermano. Mejor hacía un vídeo y listo.

Cinco minutos después, la pelea había sido parada por cuatro seguratas del tamaño de una pared de frontón vasco cada uno de ellos, y se los llevaban a rastras como podían entre gritos y aspavientos camino de una zona de seguridad, según pudo escuchar a uno de ellos. Unos metros detrás iba el diputado (ya sin erección) tapándose la cara con las manos y el bolso de su hermana, que le había devuelto el camarero.

Eduardo seguía haciendo fotos y vídeos del lamentable espectáculo. Ahora tan solo tenía que conseguir colarse en la zona de seguridad para enterarse de qué había pasado exactamente. Y eso, con algo de dinero no iba a ser difícil.

En teoría.

Cuarta parte
Entrada al Water Park

Juan, el nuevo mejor amigo de Bianca y Jasmina, protestó al apagar el motor.

—¿Y aquí no hay aparcacoches?

—Cariñoooo —le dijo Bianca acariciándole la cara—, esto es una fiesta populaaaar, divinaaaa, todas iguales en armoníaaaaaa.

Estaba claro que las gotitas que Bianca se había puesto en el refresco le estaban empezando a hacer efecto.

—¿Siempre alarga tanto las vocales? —preguntó Ramón.

—¿Te ha dado alguien permiso para hablar, so perro? —le gritó Marijose.

—No, mi ama.

—Ni te imaginas lo cansadísimo que es ser ama dominante, maja —le susurró Marijose a Jasmina al oído.

Una vez fuera del coche, los cinco se encaminaron hacia la puerta de entrada, donde ya había bastante gente haciendo cola. A Juan le llamó la atención que había demasiados hombres y demasiadas pocas mujeres, pero tampoco importaba. Bianca o Jasmina, o las dos a la vez si era posible. El resto no importaba. A más tocaba.

—El problema es que tú no tienes entrada, vida míaaaaa —le dijo Bianca a Juan.

—Eso no es un problema en esta ciudad para mí... ¿Hay una entrada vip? —preguntó.

—Claro, pero es para vips y «celebritis» —le informó Jasmina.

—Dejádmelo a mí entonces. Esperadme aquí —dijo Juan alejándose hacia la puerta.

Los cuatro vieron como Juan se acercaba a los porteros, que parecían haberle reconocido y se saludaban con mucho abrazo, mucha palmadita en la espalda y hasta algún intento de selfie que Juan parecía querer evitar. Un par de minutos más tarde les hizo unas señas para que se acercaran. Una vez que llegaron, entraron todos entre risas y jolgorio mientras Juan se despedía de los porteros gritando a pleno pulmón: «Visca el Barça».

—Es lo que tiene ser alguien en esta ciudad —le comentó a Bianca.

«La tienes que tener como un cacahuete», pensó Bianca medio mareada, pues, según su propia estadística, el 87,5% de los hombres prepotentes tenían el pene realmente pequeño. Y viendo los andares de sheriff de Juan, aquello podía ser realmente diminuto. Tendrían que librarse de él, porque el marido de Marijose ya no era un problema, pero este pesado podía chafarles el día, y no era plan.

—Pásame el chorri —le susurró a Jasmina al oído.

—¿Ya? ¿Otra vez?

—Tú pásamelo y calla, que luego te explico, que hay que ver la manía de querer saberlo todo...

—¿Pasa algo, señoritas? —las interrumpió Juan.

Bianca se quedó en blanco medio segundo, pero reaccionó diciéndole:

—Pues que estas tres señoritas —señaló con el dedo a Marijose y Jasmina— tienen que ir al baño a retocarse el maquillaje un momentito...

Infalible. La excusa de retocarse el maquillaje no fallaba jamás. Una podía ir al baño a retocarse y en realidad podía estar drogándose, invadiendo Polonia o jugando al Tetris. El «retocarse en el baño» sigue siendo a estas alturas un gran misterio para la humanidad masculina. Juan y Ramón accedieron a ir pidiendo las copas mientras las chicas iban a «lo del retoque».

De camino al baño se encontraron con varios vigilantes de seguridad que arrastraban a una chica que estaba intentando agredir a un gay de tupé *king size* con un bote de laca y una peluca negra en la mano mientras intentaban parar la agresión sin mucho éxito.

—Hija mía, ¡cómo se ponen algunas a estas horas! —resopló Jasmina.

—¡Es Carla! —gritó Marijose emocionada.

—¿Carla? —dijo Bianca.

—¡Y el otro es Beltrán! —gritó Marijose, aún más emocionada.

—¿Beltrán? —preguntó Jasmina.

—¡El de la teleeeeee! —chillaba Marijose emocionada, al mismo tiempo que intentaba hacer fotos.

Bianca y Marijose se miraron entre ellas con cara de no entender mucho qué pasaba.

Retrocedamos en el tiempo. Carla y Beltrán habían sido desde hacía dos años la comidilla en el mundo de la moda. Carla, una *it girl* de una familia progre de clase alta, era la creadora de www.silodiceCarlateloponesypunto.com, uno de los blogs de moda más importantes con cientos de miles de seguidores en las redes sociales. Beltrán había sido el mejor amigo de Carla desde el colegio y, según decían las malas lenguas, se había aprovechado de ella y sus contactos hasta conseguir presentar su propio programa de televisión, *Horrores de la moda*, que era líder de audiencia los jueves por la tarde y donde ponía verde a Carla cada dos por tres. La guerra entre los dos era lo que los mantenía en primera línea de fama. Toda esta información les dio absolutamente igual a Bianca y Jasmina, cuyos referentes máximos de estilo, glamour y elegancia suprema eran Jennifer López y Cristiano Ronaldo y pensaban que el *Vogue* era una canción de una señora mayor empeñada en parecer «Maili Sairus» a toda costa.

Entraron al baño de señoras, y Bianca, con un carraspeo, les hizo entender que tenían que esperar a que dos chicas terminaran de maquillarse y se largaran. Cuando salieron por la puerta, Bianca arrastró a las otras dos dentro de un baño cerrado.

—A ver, saca el chorri, Jasmina, que esto hay que arreglarlo...

—¿El qué? —preguntó Marijose.

—El chorri, cariño, el chorri... —le repitió Jasmina con cara de pena.

—¿Y eso qué es?

Jasmina se sacó de debajo de una teta un pequeño bote de cristal marrón con cuentagotas.

—Esto es el chorri —señaló Bianca a la vez que le arrebataba el botecito a Jasmina y se lo metía en la parte inferior del biquini.

—Bueno, venga, va..., ¿me vais a explicar qué es eso? —dijo Marijose—, porque si esta lo llevaba en las tetas y tú te lo escondes en la figa, desde luego muy normal no es...

Jasmina miró al techo con cara de «madre del amor hermoso» y le dijo a Bianca que tenían que explicárselo, que iba a ser mejor. Entonces Bianca se sacó el móvil de la otra teta, abrió el explorador de Internet y escribió «chorri GHB» (en el buscador en el que estás pensando), y así Marijose, gracias a una página web completísima, en diez minutos se enteró de estas cosas:

- El «chorri» es un nombre popular que se le da al GHB, una droga también conocida como éxtasis líquido. Esto le trajo a Marijose un alegre recuerdo de un viaje de fin de curso a Mallorca con una amiga que tenía «pastillas de la risa» y con la que acabó comiéndoselo todo. Después de aquella noche, ella y la amiga no se volvieron a mirar a la cara y se pasaron la vida evitándose en el pueblo.

- El «chorri» puede provocar sueño, pero también te puede dejar cachonda perdida y muy desinhibida. Esto último, en secreto, le encantó a Marijose.

- El «chorri», que también se puede llamar «bote», se usa en Italia contra el alcoholismo y, por lo visto, hay culturistas que lo toman pensando que tiene un efecto anabolizante. En este instante, Marijose pensó que su primo Raúl, culturista de competición, era drogadicto perdido de toda la vida.

- El «chorri» hay que tomarlo con mucho cuidado, ya que una sobredosis puede ser fatal y terminar en un coma. Esto, por supuesto, le dio miedo a Marijose.

- El «colibrí» es una manera de tomar el GHB que consiste en que, cuando una persona tiene un buche de líquido en la boca, se le administra con el gotero una dosis de «chorri», que se mezcla inmediatamente en la boca con la droga. Al parecer, esta manera de consumir es la favorita de sus usuarios.

«¡El colibrí, mi pájaro favorito!», pensó Marijose.

Cuando terminó de leer, le entregó el teléfono a Bianca y le dijo:

—Bueno, ¿y?

—Joder, cariño míooooo —le respondió Bianca—, cuando te encontramos hecha un mar de lágrimas entre biquinis nos parecías una mosquita muerta...

—Cateta soy un poco, aunque muy leída, y soy valenciana, que tengo hasta Twitter y tampoco es como para gritar que en el pueblo siempre ha habido camello, que somos de pueblo pero estamos muy al día, guapas —les contestó—. La cosa es... ¿qué vamos a hacer con el chorri y los colibrís?

—Pues en un principio —musitó Jasmina—, la cosa era para dejar a tu marido dormidito...

—¿A Ramón? ¿Drogar a mi Ramón?

—Chiiiiiiica —le interrumpió Bianca—, es que como era tan machito duro, tan pelotudo, tan de oprimirte las libertades, pues lo habíamos pensado, aunque, claro, ahora que parece un canichito lindo, lo mismo no nos hace falta...

—Bianca se lo quiere poner a Juan... —dijo Jasmina.

—Vamos a ver, Marijose, que llevarás seis horas de dominatrix, so pendeja, pero no te vengas arriba —le dijo Bianca—; a los machos como este hay que comerlos y escupirlos, y este ya ha cumplido su cometido, y o mucho me equivoco o es un horror de persona: esos andares de galán, esa chulería... ese «cómeme la papaya»...

—Esa cantidad de gel fijador... —siguió Jasmina.

—Y tiene toda la pinta de ir a amargarnos el día, mi amooor. Que yo no soy tonta y este quiere culiar con Jasmi y conmigo —alertó Bianca.

A Jasmina se le fue medio bronceado solo de pensar en acostarse con ese hombre.

—O sea, que le vamos a drogar para que nos deje en paz —concluyó Marijose.

—Básicamente sí —le contestó Bianca.

—¿Y quién se lo pone en la bebida? Porque a este hacerle «un colibrí» no va a ser fácil...

—Marijose, cariñoooooo, a eso le llamo yo aprender rápido.

—Pues hala, que nos vamos —dijo Marijose saliendo del baño.

—A mí esta mujer me empieza a dar miedo —susurró Jasmina al oído de Bianca.

—Eso es lo bueno, cariño —le contestó la otra.

Y las tres, pisando fuerte, melenas al viento y evitando estamparse vivas contra un grupo de gays gorditos con mucho pelo que acababan de llegar, se dirigieron con las tres sonrisas más grandes que has visto en tu vida hacia Juan, que ya estaba brindando con Ramón por las mujeres guapas.

Iba a ser su último brindis del día.

Cuarta parte
Water Park

«Gracias, San Jorge; gracias, Señor; gracias, Padre», pensó mirando al cielo.

El Padre Eduardo estaba convencido de que el santoral y toda la corte de ángeles celestiales al completo estaban de su parte, apoyándole con fe ciega en su misión. Las cosas no podían salir mejor a pesar de que el corazón todavía le latía demasiado deprisa por el encontronazo con el Padre Damián. Algo estaba claro: su plan había sido descubierto. Si no, ¿qué demonios hacía ese cura moderno que tanto detestaba persiguiéndole por Barcelona? ¿Lo sabría ya el resto de la congregación? ¿Y si habían llamado a la Policía?

Mientras todos hablaban a gritos dentro de la furgoneta, el cura se concentró en sus pensamientos. No era probable que hubieran avisado a la autoridad, y menos en un día como este en Barcelona. La Policía tendría cosas mucho más importantes que hacer en una jornada electoral que tenía a todo el país al borde de la histeria colectiva. Si Damián era el encargado de perseguirle, estaba claro que el Abad quería mantener el asunto en un perfil bajo y no avisar a nadie. Sería un escándalo tremendo para la congregación, tan empeñada en acercarse al pueblo y a lo que ellos llamaban «la vida en el siglo XXI». Ese era el error para el Padre Eduardo. Las últimas décadas no habían traído más que perdición y podredumbre. Las mujeres podían abortar, los homosexuales se podían casar, las parejas tardaban en divorciarse lo mismo que en tomar un café, el Papa se había pronunciado a favor de los preservativos... la semilla del mal había empezado a infectar al corazón de la Santa Madre Iglesia. De otra manera era imposible explicarse lo del nuevo Papa, un enviado de Satanás camuflado bajo una cara amable llegando a lo más alto de la jerarquía eclesiástica. Cuando le vio en un avión hablando de que aceptaba a los homosexuales, el Padre Eduardo supo que tenía que hacer algo al respecto. Aquellas imágenes le persiguieron día y noche. Un Papa de Roma respetando y aceptando la perversión y la sodomía. Pero él iba a remediarlo. Vaya que sí.

Por otra parte, ¿qué iba a hacer la congregación si se enteraban? ¿Cómo iban a demostrar que había sido él por mucha pruebas que tuvieran? ¿La misma Iglesia que lleva años protegiendo ciertas abominaciones perpetradas por sacerdotes le iba a llevar a él delante de la justicia sin pruebas firmes por exterminar homosexuales? Desde luego que no. Había otros como él y lo sabía muy bien gracias al chat secreto de Internet al que accedía con un smartphone que se había comprado con el dinero robado en el cepillo de la misa dominical. Era verdad que había otros que, antes o después, saldrían en su defensa.

Y luego estaba Damián. Desde luego no había contado con ello, era un inconveniente, pero nada que no pudiera ser resuelto de una manera u otra. Damián, si le quedaba un poco de tiempo libre, debía ser eliminado. Al mirar a su alrededor vio a miles de personas y se vio a sí mismo camuflado en una manada de osos. Además, ahora llevaba una gorra y unas gafas de sol que un miembro del grupo le había prestado. Completamente mimetizado, así estaba. Ni siquiera el de seguridad de la puerta, que resultó ser amigo del dependiente de la tienda, se había molestado en registrarlos. ¿Quién va a pensar que un gordito tímido con cara de bonachón está a punto de organizar una masacre que al día siguiente sería el tema de portada en todos los periódicos y los telediarios del mundo? ¡Así iba a mandar el mensaje! ¡La muerte sería el mensaje! ¡El miedo sería el modo de acabar con aberraciones como esta! ¿Cómo volverá a estar la gente segura de que no está siendo envenenada a partir de esta noche? El miedo es lo que mejor ha funcionado de toda la vida de Dios, pensó. Las drogas y el sexo aberrante eliminados con la mano firme de Dios en la tierra. Con su mano. Y no le iba a temblar el pulso.

—Bueno, ¿qué? —le interrumpió el pensamiento uno del grupo—, ¿vamos a comprar unos tickets para pillar unas cervezas?

—Yo es que primero debería ir al baño —le contestó el Padre Eduardo.

—Muy bien, pues te esperamos en la barra entonces, que ya empieza a haber cola.

—Vuelvo enseguida...

El baño era esencial en el plan. Eso, y el teléfono móvil. Cuando, después de hacer cola, consiguió encerrarse en un cubículo, limpió la taza con unos 20 metros de papel higiénico, se sentó, se santiguó, buscó el sol por la rendija de una ventana y se dijo:

—Allá vamos, Altísimo. Esta es la última oportunidad de mandarme una señal para que desista en mi empeño... Si estoy obrando mal, este es el momento...

—¡Guapa! ¡Date prisa, que somos muchas!

El Padre dio un respingo al oír cómo aporreaban la puerta del cubículo que había a su derecha. Nadie golpeó el suyo. Que no hubiera una señal era, precisamente, la señal.

Lo primero de todo era bajarse una aplicación de encuentros sexuales entre hombres. Por lo visto, la perdición estaba más al alcance de la mano de lo que se pensaba y tan solo había que descargarse un programa en el teléfono para descubrir al instante cuántos homosexuales enfermos y sedientos de sexo estaban buscando quedar en ese mismo instante a pocos metros de ti. Aterrador y apocalíptico, sin duda. El Padre Eduardo tuvo un momento de duda ante tantas aplicaciones destinadas a lo mismo que había, pero de nuevo una señal le guio el camino cuando escuchó una voz que decía a gritos:

—Guapo, ¿vas a apagar el Grindr de una vez? ¡Que hemos venido a divertirnos!

Dicho y hecho. El Grindr. Para que luego se diga que el Señor no envía señales cuando uno se encuentra sin rumbo. Después de registrarse con un correo electrónico falso que había creado hacía dos semanas, estaba lo de la foto. Optó por poner una de un muchacho luciendo músculo en una playa de Brasil. Y luego estaba el «nick», que era su nombre de usuario. Esto iba a ser fundamental para el éxito del plan. Según había leído, era muy importante que tu nick dejase claro exactamente lo que buscabas u ofrecías. Por eso el Padre Eduardo tecleó:

CHORRI GRATIS EN WATER PARK.
Mensajes por privado.

Y le dio a «confirmar».

Esa misma mañana, en las noticias del Canal Cuatro (sí, los medios de comunicación, podridos hasta el tuétano, también se hacían eco de esta orgía de perdición), una presentadora decía orgullosa que decenas de miles de asistentes se estaban ya acercando a la «mayor fiesta celebrada en un parque acuático del mundo entero para gays, lesbianas, bisexuales y transexuales». No tenían vergüenza, habían aceptado y normalizado esto hasta convertirlo en una buena noticia.

—¡Oye! ¡A ver si nos damos prisa! —Esta vez sí aporreaban su puerta.

—¡Ya voy! ¡Ya voy! Que no puede uno miccionar tranquilo —dijo el Padre Eduardo.

—¿Miccio... qué? —preguntaron al otro lado de la puerta.

—¡Que ya salgo!

Justo cuando salía de la puerta y entraban dos chicos, algo le vibró en el pantalón.

Había recibido el primer mensaje.

La fiesta iba a comenzar.

Cuarta parte
Barcelona centro

Todos se quedaron mudos dentro del coche al oír el golpe. Durante unos segundos aquello parecía una tumba. Hasta que la Inspectora Marina reaccionó.

—¡Has atropellado a un cura!

—¡No!

—¡Que sí, Jorge, que era un cura!

—No puede ser... —dijo Jorge.

—Yo estoy empezando a pensar que esto es una coña muy grande —dudó Santiago—. ¡Es que no se me ocurre ni a mí! ¡Y mira que tengo imaginación pa repartir! ¡Joder! ¡Nos hemos cargado un cura! ¡Y en un coche de policías! ¡La hostia!

—Si eso es un cura —dijo Alejandro—, no falto a una misa cada domingo... ¿No será un modelo disfrazado de cura?

—¿Hemos pillado a alguien? —preguntó Miguel Ángel.

—¡Joder tíos, esto no! —protestó Luis—. ¿Tú sabes cómo se pueden poner mis fans si se enteran de que he participado en un atropello a un cura?

—¡BASTA YA! —gritó Martina—. ¿Es que a nadie se le ocurre salir a ver si le hemos matado o no?

En ese momento se oyó un ruido sordo. Y una mano ensangrentada apareció sobre el capó. Dentro del coche había un silencio sepulcral. Unos segundos después apareció la otra mano. Seguía el silencio. Todos estaban con la mirada fija en el centro del capó delantero del coche. No se atrevían ni a respirar.

«Por lo menos, muerto del todo no está, lo mismo nos libramos de la cárcel», pensó Santiago.

Poco a poco una figura empezó a aparecer justo delante del coche. Un hombre muy alto y corpulento, vestido de negro, desorientado, con una brecha en la cabeza que sangraba, un ojo que se ponía morado por momentos y la manga derecha de la camisa medio arrancada. Pero el alzacuellos estaba intacto. Si no era un disfraz, efectivamente era un cura. El mismo cura con el que el Inspector Jorge Álvarez había chocado a primera hora esa mañana. La misma cara que no se había podido quitar de la cabeza en todo el día. Los mismos ojos que trataban de decirle algo que no comprendía.

—Supongo que este intento de asesinato de un cura nos lleva directos al Infierno —observó Santiago.

—En todo caso sería homicidio imprudente —dijo Martina al salir del coche.

Jorge seguía paralizado sin saber qué hacer ni qué decir. Parecía que el cura trataba de enfocar su visión, pero no lo conseguía.

—¡Aparca en doble fila y vente ya! —le gritó Martina saliendo del coche y apartando al herido a la acera.

—¿Y nosotros qué hacemos? ¿Me da tiempo a hacer pis? —preguntó Miguel Ángel.

—Esperadme aquí, por favor —les pidió el Inspector.

Jorge aparcó y se dirigió hacia la acera, donde Martina ya se estaba ocupando del cura con cara de asustado. No sabía qué le producía ese miedo. Pero era grande.

—Acabo de llamar a una ambulancia —le dijo Martina—, ocúpate un momento de él mientras vuelvo al coche para dar parte a la central...

—Claro, claro...

El cura estaba sentado en una acera intentando mantener el equilibrio en la parte superior de su cuerpo. El ojo ya estaba completamente morado y apenas lo podía abrir. Y la herida que taponaba con un pañuelo de Martina seguía sangrando. Jorge le abrazó cogiéndole por los hombros para que no bajara la cabeza. Y al tocarle, sintió «esa electricidad».

—¿Está usted bien? ¿Me oye? —le preguntó al cura—. ¿Puede escucharme..., Padre?

El cura levantó la cabeza como pudo y con el ojo que le quedaba sano enfocó hacia llegar a la cara del Inspector. En ese momento fue como si un latigazo le hubiera recorrido el cuerpo.

—Tú... —dijo.

—¿Estás bien?

El Padre Damián cada vez estaba más mareado. Hacía intentos por levantar la cabeza, pero era más que obvio que la conmoción del golpe estaba pudiendo con él.

—Necesito... —balbuceó— necesito que me ayudes...

—Sigue hablándome —le dijo Jorge sujetándole la cara con las manos—, quédate conmigo, no te duermas...

—Peligro... la gente, por favor... ayúdame...

—Dime, habla, dime qué pasa, tranquilo, tranquilo...

—Los va a matar...

El Padre Damián estaba al borde de sus fuerzas, ya casi no podía hablar. Pero al Inspector no le hacía falta mucho más. Viendo esa mirada de desesperación, de miedo... sabía que algo pasaba. Y no era bueno.

—La fiesta... los va a matar en la fiesta...

—¿En qué fiesta? ¿Quién los va a matar?

Antes de que pudiese contestar, apareció la ambulancia y apartaron de un codazo al Inspector, que no podía desviar su mirada del Padre Damián. Entre tres personas le inmovilizaron el cuello y le subieron a una camilla. Jorge le acompañó hasta la ambulancia justo para oírle decir, al tiempo que se cerraban las puertas:

—La fiesta de la piscina... la gente está en peligro.

En ese momento, a Jorge se le heló la sangre y recordó la posible amenaza de la que les había hablado Rita. Sin decirle nada a Marina, le llamó y le dijo que estuviera alerta en la piscina hasta que ellos llegaran. Y que no se le ocurriese llamar al Comisario. Cuando volvió a la furgoneta, se encontró a los cuatro hombres junto a Marina. Ella le miró con cara de «no entiendo nada» y le preguntó:

—¿Nos ponemos de camino al Water Park?

—NO —le contestó—. Antes tenemos que ir al hospital, Marina. Hay una posible amenaza.

—Pero si ya está en buenas manos. Podemos pasarnos perfectamente por la noche —protestó ella y luego dijo—: ¿Una amenaza? ¿Esto tiene que ver con lo de Rita?

—No es eso, Marina, no es eso...

—¿Entonces? —le preguntó ella.

—Algo malo va a pasar, Marina, y ese hombre lo sabe. Algo malo va a pasar y no te puedo explicar por qué, pero desde esta mañana sé que algo muy malo va a pasar...

—Jorge, te lo repito... ¿me estás hablando de lo de Rita?

—No sé de qué te estoy hablando, no lo sé... pero el cura lo sabe, Marina... el cura lo sabe.

—Vamos al hospital, entonces.

—Vamos —dijo Jorge—, pero vamos rápido. Esto me da muy mal rollo, se nos escapa el tiempo.

«Mira por dónde, al final hasta vamos a tener acción», pensó Marina.

Sacó la sirena de un compartimento y arrancó.

En el coche nadie habló. Ni una sola palabra.

Ahora tan solo era cuestión de tiempo.

Cuarta parte
En el Water Park

—¡Ramón! ¡Ramón! —gritaba Marijose abrazándole—. ¡Ay, Dios mío, Ramón! ¿A que no sabes a quién he visto? ¡No te lo vas a creer, Ramón! ¡Delante de mis narices!

—¿Tengo permiso para hablar, ama?

—Déjate de idioteces y sal del personaje ahora mismo. Ramón, que no podemos pasarnos la vida con látigo y corsé —le contestó Marijose emocionada—. Que resulta que he visto a Carla y a Beltrán... ¡a Carla y a Beltrán! ¡Y se estaban pegando, cariño! ¡Se estaban pegando!

—¿Eres amiga de esos dos fantoches que se estaban pegando? —le interrumpió Juan mientras se mesaba el pelo engominado.

—¿Amiga? ¡Ya me gustaría! ¡Soy fan acérrima! ¡Soy su fan número uno! —le contestó Marijose a gritos.

Juan puso cara de no entender nada y entonces Ramón, ya fuera de su personaje de sumiso, le explicó que Carla y Beltrán eran estilistas de moda que salían en la tele hablando de trapitos y que se insultaban constantemente pero en programas distintos de cadenas rivales. Y que, como Marijose, media España femenina estaba enganchada a sus emisiones esperando una nueva entrega de *Moda, sangre y polémica*, como habían contado en el suplemento de un periódico aunque Ramón, como buen amante de las teorías conspiratorias, pensaba que era un tinglado que se habían montado entre los dos.

Marijose, por supuesto, hizo una dramatización en directo de la pelea y se lamentaba al mismo tiempo de no haber sacado fotos para dejar a la Paz y la Soraya con la boca abierta, y ya de paso para que vieran en el pueblo que ellos se codeaban con la *crème de la crème* del famoseo nacional. Y justo en el momento en que Marijose acababa su relato, aparecieron como por arte de magia Bianca y Jasmina con una bandeja de copas en la mano.

—¡Justo a tiempo, chicas! —resopló Marijose.

Pero había algo en la cara de Jasmina que estaba raro.

—¡Bueno, mis amoreeeees... a brindaaaaaar! —Y Bianca se puso a repartir las copas mientras Jasmina miraba horrorizada la bandeja.

—¡Brindemos por el fútbol y las hembras de categoría! —propuso Juan.

—¡Brindemos por el amor y la libertaaaaaaad! —dijo Bianca, apartando la mano de Juan de su nalga derecha.

—¡Brindemos por salir del pueblo y no volver jamás! —gritó Marijose mirando a Ramón.

Y Jasmina, en el medio de todo, agarrando una copa con cara de acojonada.

—¿Y tu brindis, cariño? —le preguntó Marijose.

—Yo brindo por salir viva de esto... —musitó.

—Lo que ella quiere decir es que brinda por la vida, por las amigas, por los chulazos con la papaya bien grandota, por la... ¡FIESTAAAAAAAAA! —gritó Bianca.

En ese mismo momento, arrancó la música desde el escenario principal y la gente se puso como loca. Miles de personas gritando a la vez celebrando que aquello había dado comienzo acercándose a la piscina como si aquello fuera la peregrinación a la Meca. El volumen era tan ensordecedor que Marijose no pudo entender a Jasmina cuando le contó que se había hecho un lío con la bandeja y que no recordaba qué copas llevaban una doble dosis de droga y cuáles no.

Todos bebieron rápido, porque los 40 grados que hacía a la sombra no ayudaban precisamente. La primera copa se terminó en menos de 20 minutos y, sin que se dieran cuenta, Juan había aparecido con una bandeja con otras cinco copas y una botella de champán con bengalas. Bianca estaba ya subida a una mesa con el pareo enrollado a la cabeza y la teta derecha escapada del biquini. Cuando vio la botella de champán se puso como loca y se abalanzó sobre Juan al grito de:

—¡Yo la abro! ¡Yo la abro, amorsoteeeeee!

Bianca, que ya estaba un poco más que mareada, les explicó como pudo que les iba a hacer un truco maravilloso y les pidió que se dieran la vuelta. Completamente enloquecida se puso la botella entre las tetas y disparó el corcho con tan mala fortuna que impactó en el ojo de Ramón, que cayó como un plomo encima de dos campeones de fitness australianos que salieron espantados dando gritos. Bianca, ya hecha un apocalipsis, decidió que había que agitar la botella y regarlos. Y aprovechó ese momento en que todos se tapan la cara para evitar el chorrazo en sus caras para rellenar lo que quedaba de la botella con todo el liquidito de la botella marrón. Todo en cuestión de segundos. La llegan a ver las de la organización esa de carteristas rumanas del Metro de Barcelona y la hacen presidenta inmediatamente.

Marijose, que se encontraba rarísima de repente empapada en champán, se descojonaba viva bailando alrededor de Ramón, cuyo ojo se ponía morado por momentos. Ramón le miraba con un solo ojo sintiéndose mareado. Juan intentaba tocarle una teta a Jasmina. Esta intentaba no desmayarse. Bianca se puso a repartir copas de plástico y les obligó a todos a beberse el champán tapándoles la nariz con la mano.

—¡PAR FAVAAAAAAAAAR! ¡Todos a beber!

Al abrir los ojos tras beberse toda la copa de un trago, y ya completamente mareada, Marijose vio que se acercaba la bloguera de la tele que iba acompañada de un rubio con un paquetón de escándalo y dos seguratas. La alcanzó en menos de dos segundos.

—¡CARLAAAAAAAAAAAAAA, SOY TU FAAAAAAA AAAAAAAAAAN! —gritaba agarrada al brazo de la hermana de Matías, que la miraba horrorizada.

—¡Lo que me faltaba! ¡Una fan de pueblo! Pero ¿esto no era una fiesta para gays y gente guapa? —gritaba Carla—. ¿Alguien me puede quitar de encima a la choni esta?

Y entonces ocurrió.

Marijose, con un subidón de espanto, le soltó el brazo y le miró con los ojos inyectados en sangre. Marijose intentó no caerse de los tacones. Marijose se ajustó el pareo. Marijose se puso frente a Carla y le arreó una hostia que le partió la nariz en ese mismo instante. Acto seguido, Marijose dijo:

—Shoooni du fruta madre...

—¿Pero por qué coño todo el mundo me pega hoy? —chillaba Carla—. ¿Estáis todas locas? ¡Joder! ¡Mi nariz!

Y Marijose, al ver el cuadro de cara que le había dejado a la bloguera, se puso a vomitar.

—¡Shoooni du fruta madre! —le repetía entre arcadas a Carla, que se sujetaba la nariz como podía—. ¡Con lo que yo te he admirado! ¡Yo! ¡Que fui la risión de la boda de mi prima Maite por hacerte caso y mezclar rombos con cuadros! ¡Yo te mato, asquerosa!

Carla estaba aterrorizada en el suelo con las manos llenas de sangre y medio cuerpo impregnado del vómito de Marijose. Matías estaba a su lado levantándole la cabeza, tratando de detener la hemorragia, y se estaba poniendo perdido. Eso sí, ni con esas le desaparecían la erección y la sonrisa. Los dos seguratas se llevaban a Marijose en volandas mientras Ramón intentaba levantarse y seguirlos, Bianca y Jasmina miraban para otro lado atusándose las melenas y Juan, al fin, se desmayaba encima de un peluquero de Sabadell que llevaba un tanga con la *estelada* y que no le había quitado ojo desde que habían entrado.

—¡Yo te cuido, machote! —le dijo el peluquero al mismo tiempo que le daba un beso, como si aquello fuera la Bella y el Bestia.

Y en medio de todo eso, Eduardo, el periodista, grabando vídeo y haciendo fotos a la vez. Y porque no tenía una tablet para editar allí mismo la secuencia, que si no también lo hacía. Agarró el teléfono con todas sus fuerzas y se dirigió al wc. Apretaba tan fuerte el teléfono que le dolía la mano, pero allí estaba su futuro. Necesitaba la tranquilidad de un cubículo para llamar al periódico y enviar los archivos. Ya no había duda: la portada del día siguiente iba a ser suya. Por fin. Y justo cuando entraba al baño, chocó con un señor gordito que se sacó una botellita marrón del bolsillo y le dijo:

—Toma guapo, un regalito...

—¿Y esto que es? —le preguntó Eduardo, mirando a un frasco pequeño con cuentagotas.

—Algo que te va a poner muy, muy calentito si lo mezclas con tu bebida... Pero tómalo ya antes de que se pase el efecto... con una dosis basta... Ya verás cómo te lo vas a pasar... Y sé generoso... invita a algún amiguito, que si te lo tomas todo tú solo lo mismo te sienta mal.

El señor gordito le guiñó un ojo, le dio el bote y desapareció de su vista sonriendo y mirando su teléfono móvil.

Veinte minutos después, que se le hicieron una eternidad haciendo cola, Eduardo consiguió por fin meterse en el cubículo con el teléfono en una mano y un refresco de cola light (sí, ese) en la otra. El wc estaba hecho un asco y decidió ponerse en cuclillas y apoyarlo todo en la taza.

—¡Un homenaje habrá que darse! —se dijo a sí mismo.

Se puso una dosis en la bebida, pero pensó que lo mismo era poco y se puso otras dos. Se lo bebió de un trago y se puso a revisar todo el material que tenía en el móvil. Cuando terminó, marcó el número de dirección del periódico.

—¡Marga! ¡La tengo! ¡La historia de mi vida!

—¿Qué es lo que tienes? —preguntó Marga.

—¡Más de lo que esperábamos! ¡Drogas, maricones, una pelea con la hermana de la tele y una fan borracha, sangre! ¡De todo! ¡Y todo chungo! ¡Voy a ser portada! ¡Y de regalo, el del fútbol comiéndole la boca a un maricón independentista!

Marga se quedó mirando el auricular con cara de no entender nada. Eduardo estaba absolutamente disparado y más le valía que lo que estaba contando fuese verdad.

—Te paso con el jefe ahora mismo, madre del amor hermoso, Eduardo...

Ni dos segundos tardó su jefe en contestar.

—Eduardo, dime que tienes algo bueno, que el proceso electoral está siendo de lo más pacífico y no sé qué cojones vamos a poner en portada, que el buen rollo no vende...

Eduardo se estaba emocionando por momentos y le explicó al director del periódico todo lo que había podido grabar.

—¡La hostia, Eduardo…, la hostia! —contestó el director—. Si esto lo unimos a lo de la mañana que me has contado de las drogas, al final va a ser hasta coherente… Mándamelo ahora mismo al mail.

—Claro jefe —respondió Eduardo, que ya sudaba a chorros—. Es colgar el teléfono y enviártelo.

Eduardo miró al techo del baño en señal de agradecimiento. Pero cuando bajó la cabeza, notó que los botones del teléfono se desenfocaban. Ni siquiera conseguía enfocar su dedo.

Y justo en ese momento, antes de dar al botón de «enviar»…, el estómago le dio un vuelco.

Cuarta parte
Barcelona centro

Avanzar por la Avenida Diagonal estaba resultando angustioso. Cientos de miles de catalanes llevaban desde que había amanecido inundando el centro de Barcelona con banderas, carteles y pancartas en lo que iba a ser el día más complicado de su historia moderna, y ya, al mediodía, aquello era un apocalipsis. Era imposible que el coche avanzara más de unos pocos metros cada minuto. La gente había decidido que las calles eran suyas, que había que marcar un antes y un después con este referéndum. Desde el coche patrulla ya podían ver el hospital al fondo. Y la sensación de sentirse atrapado justo en el momento en que más falta hacía la velocidad estaba volviendo literalmente loco al Inspector Álvarez, que, desesperado, sacó la cabeza por la ventanilla y se puso a gritar:

—¡Muévanse, joder, muévanse! ¡Llevamos a un herido! ¡Policía!

Y ahí se armó. Al oír el grito de «Policía» y escuchar la sirena, varios de los manifestantes se dieron la vuelta y un grupo comenzó a rodear el coche con cara de pocos amigos.

—¡A España con tus leyes, cabrón! ¡Aquí no pintáis nada! —gritó el cabecilla del grupo—. ¡Puta policía española! ¡Represores!

Entonces se oyó un zas y el líder cayó mareado a plomo hacia atrás ante el silencio de sus amigos, que se apartaron dejando a la vista a una robusta señora que, bolso en mano y brazos en jarras, se puso a gritar al chico aturdido en el suelo.

—¡Me tienes harta, José Ramón! ¡Harta como no te imaginas! ¡Cuando le cuente esto a tu padre... se arma, José Ramón..., se arma! ¡Hasta aquí hemos llegado!

—Pero, mamá, joder... —respondió el independentista aturdido—, que me llames Josep...

—¡Ni mamá ni leches! Yo de Bilbao, y tu padre de Burgos... Pero ¿es que esta mandanga que te ha dado con la independencia te parece normal? ¿Y ahora? ¿Pegar a un policía? ¿Es que nos quieres enterrar en vida?

Le arreó otro bolsazo mientras José Ramón/Josep intentaba ponerse en pie. Y con ese golpe se fueron las ínfulas independentistas de José Ramón, empeñado en que le llamaran Josep y que presumía entre sus amigos de saberse la discografía completa de Guillermina Mota de pe a pa. Por supuesto, Los amigos del muchacho dejaron claro que temían infinitamente más a una madre bilbaína que al Estado Español, por muy represor que fuera.

La madre, una vez que tuvo neutralizado al hijo rebelde, se acercó al vehículo policial y le pidió disculpas al Inspector diciéndole que menuda tabarra con la Independencia, con lo bien que se ha vivido aquí siempre, y que fíjese usted si yo hubiese armado este expolio cada vez que me hubiesen dado ganas de separarme del padre de este hijo que me trae por la calle de la amargura y que vaya desgracia que no hacemos carrera de él con lo rico que era de pequeño el *condenao*. Justo entonces vio al cura con la cara ensangrentada y se quedó alucinada.

—¡Ay, Dios mío! —gimió—. No me diga usted que están pegando a curas también...

—No, señora, ha sido un accidente de tráfico —aclaró el Inspector.

—En realidad, le hemos atropellado al ir a de camino a un fiesta de gays —explicó Miguel Ángel desde el asiento trasero.

La señora estaba absolutamente confundida e hizo la única pregunta que una madre hace cuando no encuentra solución a algo.

—Pues ya me dirá usted qué podemos hacer...

—Intentar llegar al hospital lo antes posible... Es que no deja de sangrar —le dijo la Inspectora.

Después de meditar unos segundos, la señora se colocó bien la chaqueta, agarró el bolso con fuerza y les dijo tan tranquila:

—Yo les ayudo.

Los gritos que esa mujer se puso a dar en medio de la calle son inexplicables, y sin embargo surgieron el efecto deseado. Un pasillo se abrió entre los manifestantes mientras la madre de José Ramón/Josep seguía a grito pelado acompañándolos en el recorrido.

—¿Qué ha pasado...? ¿Quién me grita?

El Padre Damián estaba en el asiento delantero del todoterreno sentado justo al lado del conductor mientras la Inspectora Sabater trataba de mantener su cabeza levantada desde el asiento de atrás. Junto a la Inspectora, Santiago, Alejandro y Miguel Ángel apretados con cara de angustia. Y en la parte del maletero, Luis roncaba a pierna suelta.

—¡Avanzamos! ¡Avanzamos! —gritó el Inspector.

Gracias al increíble poder de una madre enfurecida, Jorge vio como el hospital cada vez estaba más cerca. En menos de cuatro minutos, que se hicieron eternos, llegaron a la puerta de Urgencias, que estaba colapsada. Lo que vieron era de todo menos esperanzador. Nada iba a ser fácil ese día, por lo visto.

—Pero si esto parece *The Walking Dead*, Jorge...

La Inspectora Marina Sabater estaba frente a la puerta de Urgencias viendo la frenética actividad que se produce cualquier día en una gran ciudad. Si a eso le añadimos un macrofestival gay, un referéndum, accidentes de tráfico, turistas con salmonela, golpes de calor y lipotimias varias provocadas por el fervor patrio, el ambiente es de todo menos bueno. A Jorge no le quedó más remedio que sacar del coche al Padre Damián, que apenas podía sostenerse en pie, y llevarle hasta la puerta ayudado por Santiago.

El aspecto del cura en esos momentos era casi trágico. La herida de la cabeza tenía muy mala pinta y la sangre le cubría toda la cara, parte del pecho y un brazo. Intentaba caminar, pero el cerebro no obedecía sus órdenes y las piernas se le enredaban.

—¡Por aquí! —les gritó un enfermero—. ¿Qué traen?

Marina y Jorge se dirigieron hacia la recepción a la vez que dos enfermeros tumbaban al cura en una camilla no con poco esfuerzo debido a su corpulencia. Jorge le explicó a un médico lo que había pasado, aunque omitió el detalle de que ellos le habían atropellado. Cuando sacó la placa y le vieron la cara, se dieron cuenta de que no había que hacer muchas preguntas y lo más importante era atender a Damián lo antes posible. Aun así, Jorge apartó al médico hacia una esquina y le dijo:

—Vamos a necesitar hablar con el... con el cura cuanto antes.

—A ver, Comisario... —empezó el médico.

—Inspector, Inspector Álvarez —le corrigió Jorge.

—Perfecto, Inspector... La cosa no tiene buena pinta así a primera vista. No tenemos ahora mismo ni idea del alcance de la lesión. Desde luego, que esté tan desorientado no es buena señal, puede ir más allá del traumatismo...

—Muy bien —le respondió Jorge—, pero cuando pueda hablar con él... se trata de un asunto de importancia policial. De mucha importancia...

—Lo antes que podamos —le respondió el médico—. De momento hay que hacerle una analítica, un TAC, una placa de tórax y extremidades superiores y, dependiendo del nivel de consciencia, es probable que haya que ponerle una vía...

—¿Cuánto tarda esto?

El médico se encogió de hombros y le contestó:

—El resultado de las pruebas lo vamos a tener como mucho en una hora. Cómo responda alguien con un traumatismo craneal es algo que usted debería saber que no depende de mí. Esperemos que haya suerte; en cuanto tenga algo le aviso.

Jorge observó como el médico se alejaba con prisa por el pasillo y al mismo tiempo notaba como su corazón latía demasiado acelerado. Incluso cuando la mano de Marina se posó en su hombro se sobresaltó.

—Jorge —le dijo ella—, vamos a tener que ver qué hacemos con estos. No es plan de tenerlos aquí con este lío.

«Estos» eran Santiago, Miguel Ángel, Alejandro y Luis, que estaban parados en fila con un aspecto desastroso delante del coche. Los cuatro estaban callados, mirando sus teléfonos móviles. Todos menos Miguel Ángel, que se acercó a la Inspectora para hablar con ella.

—A ver, jefa...

—¿Jefa?

—Inspectora, que estábamos pensando que lo mismo nosotros nos cogemos un taxi, que tampoco es plan de comernos el marrón del cura *atropellao*, y que si ustedes nos dicen dónde hay una parada cerca, que nos vamos de mil amores...

Marina miró a su compañero y no encontró respuesta alguna. Jorge estaba con la mirada perdida, inquieto, mirando un momento al reloj y el siguiente al móvil. Y sostenía en la mano la bolsa del Padre Damián, que previamente había revisado y donde no había encontrado nada que le pudiera servir de ayuda.

—Haz lo que quieras, Marina, no estoy para pensar en «estos»... —le contestó Jorge.

La Inspectora les pidió unos minutos. Antes de enviarles a la fiesta quería hablar con Rita, que ya estaría allí para que al menos los esperase en la puerta y pudiesen entrar con ella sin gran problema. Al fin de cuentas, se estaban «comiendo aquel marrón» que no iba con ellos. Al cuarto tono, Rita respondió:

—Rita, ¿cómo va la cosa?

—Uy, animadísima. No sabe usted lo que son las fiestas gays hasta que está en una de ellas. Si lo llego a saber, yo... De momento ya llevamos dos peleas... ¡de mujeres! Al margen de eso, nada sospechoso, Inspectora.

—¿Dos peleas de mujeres? —preguntó Marina.

—Bueno, en realidad una y media, porque es que una famosa de la tele que habla de moda y te cambia el *look* en dos minutos resulta que primero se ha cascado con otro que sale en la tele llamándola de todo y, cuando la dejan salir gracias a que me he identificado, porque un vip es un vip y ella me ha prometido que iba a contar en Twitter que la Policía es lo más, ha sido dejarla sola dos minutos y una fan del programa por lo visto le ha roto la nariz de una hostia. Pero ya le digo, todo tranquilo. ¡Hasta nos hemos hecho un selfie!

—¿Y a la agresora? ¿La has detenido?

—Mire, Inspectora, es que no era plan, la pobre estaba aquí con el marido, un señor majísimo muy obediente, y resulta que son de un pueblo de Valencia, que están aquí de vacaciones y maldad no ha tenido, ha sido un calentón. La tengo en un cuartucho que me han facilitado con dos chicos muy majos de seguridad dándole unas tilas porque, a pesar de ser buena chica, que se lo digo yo, estaba enfurecida... Y por cierto, yo esto no lo veo de terroristas islámicos. Eso sí, entre usted y yo, Inspectora..., ¡qué hombres hay aquí!

La Inspectora trató de asimilar la información que Rita le iba dando y no salía de su asombro. No entendía qué hacía un matrimonio de Valencia en un festival gay pegando a una famosa de la tele. Pero claro, en esos momentos tampoco era tan importante.

—Rita, escúchame con atención —le pidió.

Marina, obviando ciertos detalles que tampoco eran tan relevantes, como el haber atropellado a un cura, le dijo que iba a tener que salir a la puerta de acceso vip en cuestión de media hora a recoger a cuatro personas bastante importantes. Cuando Marina pronunció el nombre de los dos actores, el grito que Rita pegó al otro lado del auricular casi le deja sorda.

—Ay, por Dios, si llevo un bañador horroroso y un bolso que me ha prestado una prima, que no me cabía la pistola y la porra en el mío...

—Rita, por favor tranquilízate y atiende.

Marina le explicó que iban camuflados para que las fans no se les echasen encima y que le iba a mandar una foto del grupo para que los reconociera en la entrada. En menos de media hora tenía que haber hablado con la organización para explicarles el tema, y lo único que tenía que hacer ella es recibirlos y dejarlos instalados donde fuese. Lo que pasase después ya era asunto suyo. Rita colgó emocionada y Marina, inmediatamente, les hizo una foto a los cuatro para que la otra no se confundiese de personas. La envió y los acompañó a la calle a buscar un taxi.

—Yo me quedo aquí —le dijo Jorge—. Voy al bar a por un par de cafés. Te espero aquí mismo cuando vuelvas.

Marina no era una mujer de intranquilizarse por cualquier cosa. Pero tenía que reconocer que había algo en la cara de su compañero que le estaba preocupando. Y Jorge tampoco era el típico policía de corazonadas. Al final, quizá sí estaba pasando algo. Porque aquello no podía ser, que Jorge se hubiese encoñado de un cura, por mucho que el cura estuviese como para confesarse diez veces al día.

Cuarenta minutos después estaba en el pasillo del hospital sentada en un banco enfrente de Jorge, que seguía sin articular palabra. Hasta que el doctor que había atendido al Padre Damián se acercó hacia ellos corriendo por el pasillo. Jorge se levantó como si le hubieran dado una descarga eléctrica. Cuando llegó a su altura, miró con una verdadera cara de preocupación a Jorge y le dijo:

—Tiene que venir usted, rápido.

—¿Solo él? —preguntó Marina.

—Solo él —contestó el médico—, y rápido.

Y Marina los vio salir corriendo por el pasillo. Ahora sí estaba segura de que Jorge no se había equivocado.

Cuarta parte
Privé del Water Park

Rita no estaba dando abasto aquella mañana. Nada más colgar el teléfono a la Inspectora, dos miembros del equipo de seguridad de la fiesta le pidieron ayuda para trasladar a «la bloguera de la tele» y a su amigo «el que está muy empalmado» hacia la zona vip, situada exactamente en medio del recinto, en una especie de promontorio que a esas horas ya estaba rodeado por miles de personas bailando, bebiendo y disfrutando. Sobre todo disfrutando. Porque Rita jamás se había visto en una igual. Estaba convencida de que estos hombres en la vida real no existían y los fabricaban en serie para colocarlos en cajas de anuncios de calzoncillos de esos que a una le levantan el alma a cualquier hora del día. Estaba a punto de cerrar los ojos atrapada en la ensoñación del paquete de Andrés Velencoso, cuando uno de los chicos de seguridad le dio unos toques en el hombro.

—A ver, señora agente, que si usted nos ayuda o no... Que nosotros podemos, pero si vamos con una miembra del orden lo mismo todo es más fluido...

Rita, aún con el bulto de Velencoso en la cabeza, miró al de seguridad y decidió que perfectamente podría ser un primo lejano de cualquier *top model* paquetero. Así que sí, claro que iba a ayudar. Todavía quedaba un ratito hasta que llegaran los actores y lo mismo se podía hacer otro selfie con la bloguera, esta vez sin la nariz ensangrentada. Sus amigas lo iban a flipar.

—Por supuesto que les ayudo... Vamos a ver... ¡Organización! —gritó Rita—, tráiganme ahora mismo al Cóndor.

—¿Al Cóndor? —preguntó el seguridad.

—¡El nombre en clave del sujeto al que vamos a trasladar! ¡Si es que hay que explicarlo todo!

El chico, alucinado, se dio la vuelta y se dirigió a la enfermería a recoger a Carla y a Matías, que, sorprendentemente, seguía manteniendo una erección gloriosa para regocijo de varios asistentes a la fiesta que no paraban de sacarle fotos. Lo único bueno del asunto es que en ninguna salía su cara.

—A ver, señora... —le dijo Rita a Carla.

—Señorita, agente, señorita, que tampoco tengo edad para que me trate ni de usted ni de señora..., ¡ni que fuera yo tan vieja como Britney Spears!

Rita la miró a la vez que se hacía una nota mental. Britney Spears era oficialmente vieja. Eso quería decir que Rita estaba al borde de la ancianidad, ya que tenía un año menos que la intérprete de «Trabaja, zorra». Por unos momentos sintió una patada del reloj biológico en la boca del estómago y pensó que lo mismo hoy era el día de encontrar novio. Pero cuando miró al fondo de la fiesta y vio a dos hombres como dos castillos abrazados como Leo y Kate en *Titanic*, el sueño se le vino abajo. Muy abajo.

—¿Estás segura de que no quieres volver al hotel? —le pegunté Rita.

—¿Podemos hablar en un sitio tranquilo, doña Agente?

—Oiga, que soy más joven que Britney...

—Pues cualquiera lo diría... ¿Sabe usted que se ha inventado una cosa que se llama contorno de ojos?

—¿De qué quieres hablar? —le dijo Rita indignada y a punto de explicarle las maravillas de un contorno de ojos del Mercadona.

—Aquí no, ni de coña —protestó Carla—. Tengo que hablar con usted de un tema peliagudo, pero no aquí... es complicado.

Y con los ojos, Carla le hizo una seña hacia la izquierda. Cuando Rita giró la cabeza, lo único que vio fue al acompañante de Carla (es decir, Matías) con el bolso de su hermana atado a la cabeza, los ojos cerrados, las manos hacia el cielo y un bulto en el bañador que hubiera arruinado la existencia de Nacho Vidal en dos minutos. Rita pensó que probablemente estaba drogado, como todos los famosos, y que lo más conveniente sería llevarlos a la zona vip de inmediato.

—Vosotros dos... ¡aquí! —gritó Rita a los chicos de seguridad mientras se ponía la placa en el escote del bañador—. La cosa es así... Yo voy por delante abriendo camino con el bolso y la placa, que me da a mí que hay mucho colocadito en esta fiesta y en cuanto vean la placa nos hacen pasillo... La de la tele y su amigo, justo detrás de mí, y vosotros dos, detrás de ellos... un pentágono perfecto... ¿Lo tenemos claro?... Por favor, señor, ¿puede quitarse el bolso de la cabeza y atenderme?

—Yo me ocupo de él —dijo Carla a la vez que le daba un bofetón a su hermano.

Ni cinco minutos tardaron en llegar a la zona vip y, gracias a la eficacia del pentágono perfecto, estaban la de la tele y su amigo perfectamente sentados en un sofá de plástico blanco a salvo de miradas de curiosos. Carla rebuscaba algo en el bolso frenéticamente; después, para asombro de Rita, se metió la mano en la parte inferior del biquini y a continuación miró a su hermano, que estaba patas arriba en el sofá gritando que una tal «Kylie nunca sería Madonna».

—Agente, ¿sabe si aquí nos pueden servir unos cafés bien fuertes?

—Estupendo, primero resulta que soy vieja y ahora tengo cara de camarera. ¿No ha visto usted la placa? —le contestó Rita.

—Claro que la he visto, y me ha venido a la cabeza una línea de cinturones y broches ideales que puede ser el acabose...

A Rita se le acababa la paciencia por momentos.

—¿Me puede decir de qué tenemos que hablar, por favor? —le preguntó.

—Supongo que todo lo que yo le diga es confidencial, ¿no?

—De momento sí —contestó Rita.

—Vamos, como si hablara en confesión con un cura —dijo Carla.

—Lo que usted diga... Haga el favor de contarme.

Y así, palabra por palabra, fue la «versión» de los hechos la que Carla le contó a Rita.

—Verá usted, doña Agente, resulta que este de aquí al lado no es mi novio ni nada parecido. Este de aquí es mi hermano y no sabe el disgusto que tenemos porque resulta que estamos escapando de la prensa, que nos persigue porque mi hermano ahora mismo es muy famoso, y es que Matías...

—¡Lo sabía! ¡Lo sabía! —gritó Rita—. ¡Al que le han pillado meando en un barco con Paulina Rubio! ¡No me falla la memoria fotográfica!

—Pues no —protestó Carla—. Este es el otro Matías, el de la política...

—¿El que le ha dejado el novio y le ha sacado del armario? Si ya me lo ha dicho mi madre esta mañana... ¡Joder con los de la derecha, abortar no abortan, pero hay que ver cómo follan!

—¡Doña Agente..., por favor! —le interrumpió Carla—, que esto es muy serio.

Rita decidió callarse y ejercer la labor de investigación policial, es decir cotilleo puro y duro, porque esto no llevaba a ninguna parte pero a su madre le iba a encantar. Miró al reloj y aún le quedaban veinte minutos para recoger a los actores. Después de escuchar a Carla atentamente, esta es la secuencia de hechos que tenía clara:

- Carla y su hermano estaban escapando de la prensa por el escándalo de lo del novio uruguayo y se habían venido a Barcelona, donde le habían hecho un cambio de look «radical que te mueres» a Matías para que nadie le reconociera.

- Esa misma mañana habían decidido asistir a la fiesta del parque acuático porque ¿quién va a buscar un gay entre veinte mil gays o más?

- Habían desayunado en una cafetería Americana, donde, según Carla, probablemente les habían echado droga en el café o al menos a su hermano, que estaba rarísimo.

- El hermano se había puesto aún más raro en el taxi, y el taxista le ofreció un botellín de agua, que, según Carla, también debía de llevar drogas porque no había más que ver al hermano.

- Sí, Carla también estaba muy sorprendida del tamaño de la erección de su hermano.

- Y le ofrecía un royalty de la colección de cinturones y broches si al final la llevaba a cabo.

- También le explicó que una vez le contaron que un amigo de una amiga lejana se puso igual que Matías porque le habían envenenado con una droga que se llama GHB y que para parar aquello hacía falta cocaína o seis litros de café bien negro.

Rita nunca había tenido en su vida tantas ganas de golpear a alguien.

—Vamos a ver, las cosas claras —le dijo a Carla.

—¿Tengo la nariz muy hinchada?

—Como un boniato..., pero ¡hágame caso!

Carla se recompuso el maquillaje y gritó al verse en el espejo:

—¡Pero si parezco negra con estos algodones en la nariz!

—Usted sabe que yo soy policía...

—Pues claro, mujer —respondió Carla—. Desde luego, con ese bañador no iba a ser usted un Ángel de Victoria's Secret.

—Y me está pidiendo cocaína... a mí... que soy policía.

—Oiga, que lo que yo supongo, porque me lo dijo aquella amiga lejana, es que a mi hermano alguien le ha drogado, y seguro que es alguien de la izquierda, con GHB y que con un par de rayas lo recuperamos en dos minutos...

Justo en el momento en que Rita les iba a obligar a ella y a su hermano a abandonar las instalaciones y dirigirse a un hospital, uno de los dos chicos que le habían ayudado a trasladarla apareció sofocado, con la cara hecha un poema.

—Agente, tiene que venir usted... ¡pero ya!

—¿Y ahora quién se ha pegado? —preguntó Rita.

El muchacho le separó de Carla y Matías y le llevó hasta el borde de las escaleras de la zona vip.

—No se ha pegado nadie, agente...

—¿Entonces?

—Tenemos un cadáver.

Cuarta parte
Parque acuático
Zona de meriendas

Si a María del Monte la vida le había sonreído «a la sombra de los pinos», el Padre Eduardo no iba a ser menos. Estaba excitado y tenía que tranquilizarse. Había sido un impulso irreflexivo entregar el primer bote a ese hombre sudoroso a la entrada del baño, pero no había podido evitarlo. No volvería a cometer ese error. Todo se podía ir al traste si no llevaba a cabo el plan que llevaba meses preparando. Se distrajo de sus pensamientos cuando el teléfono volvió a vibrarle en el bolsillo.

«¿Cómo elige uno quién debe morir y quién no?», pensaba mientras se dirigía por un sendero lateral a su primera cita.

Lo que ya no tenía eran dudas. Estaba en el lugar correcto en el mejor momento. Si aquello no era una cuna de pervertidos, el mismísimo Infierno en la Tierra..., nadie hubiese respondido a su mensaje. Pero el teléfono seguía vibrando, aunque, para ser honestos, esperaba más mensajes que los que estaba recibiendo. El cura se sentó debajo de un pino a esperar que llegara «Mulato Gostoso Pas», que iba a ser el afortunado que se iba a llevar un viaje de ida al Reino del Señor. Y allí sería donde tendría que dar explicaciones. Debería humillarse ante el Altísimo y explicar que había llegado a sus pies por sodomita y drogadicto.

Mientras esperaba, se sentó, cerró los ojos un momento tratando de controlar su excitación y abrió el buzón de mensajería instantánea de la aplicación. Tenía exactamente trece mensajes pendientes de contestar. Animado por la curiosidad, se puso a mirar los perfiles uno por uno y terminó más liado. No sabía a quién elegir, porque casi todos parecían el mismo. ¿Le estaba jugando Lucifer una mala pasada para nublar su juicio? Era más que probable, pero ni Lucifer ni toda su corte infernal iban a poder con su determinación, su fuerza, su fe y la visión permanente de la espada de san Jorge, que no conseguía quitarse de la cabeza. Los otros eran el dragón. Así que, tras frotarse los ojos como para limpiar de su retina aquel amasijo de cuerpos musculados, lo tuvo claro.

—Los pares. Van a ser los pares.

Así de fácil, el Señor le había guiado desde el Cielo con su buen criterio que los impares serían salvados... de momento. Inmediatamente, se puso a contestar a los mensajes pares siempre con un mismo texto que pegaba y cortaba. Aunque los citaba en un sitio de encuentro distinto para no levantar sospechas. Recurrió a un plano del parque acuático que había preparado en el Monasterio y echó un vistazo a los lugares marcados con un círculo rojo:

- Los baños que estaban más cerca de la entrada.
- Los baños del fondo.
- El merendero.
- Detrás del escenario principal.

- El acceso a la zona vip (si moría alguien importante lo sacarían más en los medios).
- Salida del centro de acreditaciones.

Esos eran los lugares donde el cura iba a entregar «la mercancía», y lo iba a hacer en menos de treinta minutos según sus cálculos. Lo mejor era que todo quedaba en manos de la voluntad del hombre. Él lo único que iba a hacer era ponerles la tentación delante. Si ellos decidían usarla sería una especie de suicidio involuntario. Pero sus manos estarían limpias. Ellos serían los únicos responsables de su muerte, igual que el tonto que se había cruzado en el baño.

—¿Eres tú el del chorri?

El Padre Eduardo levantó la mirada y se encontró con una especie de Apolo de ébano que le sonreía con esa tipo de sonrisa que el demonio enviaba a la Tierra para sembrar el mal y convertir a pobres inocentes en presas de estas criaturas del Averno que los atraparían en sus garras y ya nunca los dejarían escapar.

—Sí, sí, soy yo —le respondió—, pero no hables tan alto, que nos va a oír todo el mundo.

El chico le miró, le volvió a sonreír y le dijo:

—Entonces... ¿tienes algo para mí?

—Claro que sí, espera un momentito, que lo busco...

El Padre Eduardo se colocó detrás de un árbol porque no quería que el chico viera que tenía la bolsa llena de botes. Lo mismo le daba por contarlo, alguien se enteraba, se corría la voz y el plan se iba al garete. Sacó un bote y muy discretamente se lo puso en la mano al chico.

—¿Es bueno? —le preguntó.

—El mejor —le dijo el cura—. Vais a ver el cielo...

—Oye..., ¿y me podrías regalar otra, que es para una amiga que es la novia de uno de los DJs? ¡Te doy un beso si me lo regalas!

En ese momento, una chica jovencísima, rubia, perfecta, apenas cubierta como una madona de Botticelli, se acercó a ellos y agarró del brazo a «Mulato Gostoso Pas» y le sonrió con la sonrisa más inocente que jamás había visto. Aquello sí era una trampa. Una mujer como aquella era la señal definitiva. Un disfraz de Virgen para una serpiente en el Paraíso. Estuvo a punto de caer en la trampa de esa pureza, esos ojos verdes, pero su fe pudo más. Ni todas las encarnaciones del mal juntas le iban a hacer desistir. Volvió a meter la mano en la bolsa y le entregó otro bote a la chica.

—¡Gracias! —le dijeron al unísono.

El Padre Eduardo los vio bajar por la ladera rumbo al último viaje de sus vidas. Parecían dos chiquillos riendo, saltando, cogidos de la mano. Estuvo a punto de emocionarse, pero se contuvo y recordó que solo eran monstruos. Su obra acababa de ponerse en marcha. Ahora solo tenía que moverse rápido para entregar el resto de los botes y desaparecer lo antes posible.

El teléfono volvió a sonar. Era el mensaje número catorce. Es decir, otro mensaje par.

Cuarta parte
Despacho de seguridad del Festival

—¿Serían ustedes tan amables de traerme otra tila, por favor? —preguntó Ramón.

—¿Otra? ¡Pero si lleva cinco! —le contestó un miembro del equipo de seguridad—. A este paso le van a anestesiar...

«Esa es la idea», pensó Ramón mientras el chico se iba a por la sexta tila. Y es que no daba crédito a lo que estaba pasando. Ramón recapituló los eventos del día en su cabeza. Se había levantado y se había encontrado con la sorpresa de que su mujer por fin había descubierto que era sumiso. Esto, por supuesto, no solo lo cambiaba todo, sino que además, y por primera vez, Ramón pensó que lo suyo con Marijose podría durar siempre. Siempre que Marijose le diese dos hostias bien dadas con una fusta de vez en cuando, claro. Ramón se excitaba solo de pensarlo. En su cabeza, su mujer había pasado de ama de casa aburrida a diosa del sexo en cuestión de segundos. A ver a quién no le gusta eso.

Luego vino lo de encontrarse con Bianca y Jasmina en el hotel para venir juntos a una fiesta. Marijose no le había terminado de contar cómo los había conocido. De hecho, no estaba seguro de que Marijose tuviese claro que eran transexuales. «Porque estas dos han tenido más rabo que el diablo», pensó. También estaba lo de Juan, el amigo de las dos, que no terminaba de confesar si era quien Ramón creía que era. Eso sí, de fútbol lo sabía todo. O sea, que al final lo mismo sí era quien parecía ser.

—Aquí tienes la tila —el chico del equipo de seguridad le entregó la taza—; voy a salir dos minutos. ¿Os puedo dejar solos?

—¡Por supuesto! —contestó Ramón.

Y al final de todo estaba la fiesta. ¿Qué narices había pasado para que Marijose le hubiera roto la nariz a su ídolo de la tele? Y, sobre todo, ¿por qué Ramón tenía desde que habían empezado a tomar copas una erección incontrolable y un mareo de lo más gracioso? ¿Los habrían drogado? ¿Por qué no podía dejar de sonreír al notar ese cosquilleo tan intenso en los huevos?

—¡Ay, cariño! ¡Qué bochorno! —fueron las primeras palabras de Marijose, con los ojos llenos de lágrimas, a la vez que intentaba sacarse un mechón de la peluca de la bloguera de entre las tetas. Fue tener el trozo de pelo en la mano, mirarlo y ponerse a llorar con un berrinche de órdago—. ¡Se me ha ido de las manos! ¡Ramón, que no sé qué me ha pasado! —gemía Marijose—, que yo en un momento estaba como que veía a Paris Hilton montada en un unicornio y al siguiente me ha entrado una rabia asesina que fíjate tú lo que le he hecho a la pobre Carla... ¡con lo que yo la idolatro, Ramón! ¡Porque yo beso el suelo que pisa esa mujer!

Y seguía llorando y secándose las lágrimas con el trozo de pelo.

—Vamos a ver, mujer..., ¿cómo te encuentras?

—Pues hecha un asco pero más tranquilita —le dijo ella.

—¿Te parece bien si te lavas la cara y nos vamos al hotel?

Marijose levantó la cabeza, se puso de pie de un salto y volvió a sacar la bestia.

—¿PERO TÚ ESTÁS TONTO? —le gritó.

—A ver, Marijose, no me toques los cojones...

—¡Ni cojones ni cojonas! —le respondió ella agarrándole los huevos—. ¿Tú te crees que con la vida de mierda que llevamos en el pueblo, de casa a la fábrica y de la fábrica a casa me voy a quedar yo sin fiesta? ¿Sin selfies? ¿Sin Instagram? ¿Sin amargarles la vida con fotos a las putas de tus hermanas?

Ramón se quedó paralizado, sobre todo porque la erección se volvió a manifestar de una manera aún más rotunda. Era incapaz de controlarlo. Le daban un grito y se venía arriba. Y lo peor de todo es que le daba la risa al mismo tiempo. Quizá por esa risa nerviosa no pudo impedir que Marijose, escupiendo pelos del mechón de Carla como una loca, saliese del cuartito en dirección al exterior.

—Pero... ¿qué es esto? —pensó en voz alta Ramón cogiendo de la mano a Marijose.

«Esto» era la fiesta más grande que habían visto en su vida. Miles de personas con unos físicos increíbles bailando, bebiendo y disfrutando todos al ritmo de una música como la que sale en una película americana cuando alguien va a ligar en una discoteca. Esa música. Ninguno de los dos era capaz ni de articular palabra ni de dar un paso. La visión que tenían enfrente era como un anuncio de la tele hecho realidad. Al final iba a ser que esa gente y esa vida sí existían. Y tan ensimismados estaban que ni siquiera vieron venir a Bianca como una loca en dirección a ellos.

—¡Ay, la pendeja, lo brava que se puso! —le gritó Bianca a la vez que le daba un abrazo de oso.

—Yo no soy nada proviolencia, pero estaba pidiendo a gritos una cachetada —apoyó Jasmina.

—¿Cómo estás, mi diosaaaaaa? —canturreó Bianca.

—Pues un poco triste... —contestó Marijose, y se echó a llorar.

—Cariño..., ¿qué pasó? —le dijo Jasmina a la vez que le arrancaba otro mechón de la peluca de Carla de la otra teta.

—Pues —Marijose se sorbió la nariz— que yo es que veo esto y no sé muy bien qué hacemos aquí, con lo catetos que somos, que no somos ni tan guapos —y seguía llorando— y es que... esto es como cuando era pequeña y quería ser fallera mayor y una vecina muy rubia y muy guapa me miró con cara de que nunca iba a ser fallera mayor porque no era ni tan guapa ni tan rubia como ella...

Y ahí le vino otro berrinche. Ramón la abrazaba y las miraba a las otras dos con cara de «si es que en el fondo tiene razón».

—¡Ay, vida míaaaa! ¿Quieres que te busque una tilita, a ver si te tranquilizas? —le ofreció Jasmina.

—Mira —Marijose se secó los mocos con el brazo—, te juro que como alguien me traiga otra tila, hoy me llevan presa. Que no sé qué me ocurre que de repente me vuelvo loca y a ver si me va a pasar como a Britney Spears, que cuando se vuelve loca habla con acento inglés. ¿Te imaginas yo hablando con acento gallego?

Otro berrinche. Y de los gordos. Ramón no le soltaba la mano. Fue entonces cuando Jasmina apartó de un manotazo a Bianca y soltó a Marijose de los brazos de Ramón.

—A ver, cariño, escúchame —le dijo—. Tú no tienes la culpa de nada, la culpa de todo la tiene esta insensata que se la ha ido la mano con el GHB...

—Pero ¡si yo no he hecho ningún colibrí! —protestó Marijose.

—¿Qué no has hecho qué?

—¡Que no he hecho el colibrí, Ramón! ¡El colibrí! —le gritó Marijose entre lágrimas mientras Bianca, para despistar, le arrancaba ¡otro mechón! de la peluca de Carla que Marijose llevaba enganchado a un tacón.

—Pues ni puta idea... —protestó él.

—Pues que resulta que nos íbamos a drogar con colibrís, que es una droga que tú te metes en la boca un buche de bebida y luego estas con un dosificador te ponen la droga en la boca y tú lo mezclas todo y te lo tragas... —le explicó Marijose.

—Marijose, ¿te has vuelto loca? —le preguntó él.

—Pues lo mismo sí, pero es que me hacía gracia y me recordó a nuestra segunda cita, que nos fuimos a la finca de tu tío Paco y nos fumamos un porro a ver qué pasaba y nos quedamos cuatro horas encerrados en el coche por si nos daba una sobredosis de porro y al final lo único que pasó es que la pichurra no se te ponía dura y tenías unas ganas locas de comer cordero asado. ¿Te acuerdas, Ramón? ¿Te acuerdas de cuando eras divertido?

Ramón se quedó mirando a Marijose fijamente sin decir palabra. Bajó la mirada y le cogió la mano de nuevo.

—Esto no es para nosotros, Mari..., no pintamos nada aquí. Anda, vámonos...

Jasmina sintió una pena terrible por lo que estaba oyendo y viendo. Y decidió que ahora era el momento en que más podía ayudar a Marijose.

—A ver, cariños míos, lo que es la fiesta, fiesta, todavía no ha empezado. Y yo estoy decidida a vivir este día con vosotros, y Bianca también, ¿verdad, pendeja? —y le dio un codazo a esta que casi le extirpa el bazo.

—Claro que sí, faltaría más —dijo Bianca mientras rebuscaba en su bolso.

—¡Pues listos! Lo que vamos a hacer es lo siguiente: nos vamos a ir los cuatro al baño y te vamos a arreglar en un momentito ese pelo de locota que tienes; Ramón se lava la cara y le arreglamos un poquitico con la gomina ese pelito de puercoespín y salimos todos a bailar. ¡Y te prometo que no vamos a parar de hacernos fotos! ¡Selfies non stop!

Ya ves tú con lo poco con lo que se conformaba Marijose. Fue oír lo de los selfies y asomarle de nuevo la alegría a los ojos. Ramón le cogió la mano más fuerte, la besó en la mejilla y le dijo al oído:

—Nos quedamos, cariño, pero cuando lleguemos al hotel voy a ser muy malo y lo mismo les pedimos a estas un poco de colibrí de ese y me tienes que dar dos hostias...

Marijose le miró a los ojos y solo por un segundo volvió a ver al chico del que se enamoró. Cubrió la mano de Ramón con las dos suyas y mirándole a los ojos le dijo:

—¿Ves? Cuando eres así, menos cerrado, a mí se me pasa todo y me da igual el pueblo y todo. Yo lo que quiero es que nos pasen cosas como a los de la tele. Aunque sea una vez al año, Ramón. Y quiero que me pasen contigo. Y si hay que darte hostias, te las doy yo, que por lo menos lo voy a hacer con cariño...

Jasmina estaba a lágrima viva presenciando la escena y pensó que era lo más cerca que iba a estar en su vida de presenciar algo parecido a *El diario de Noah*, su película favorita. Se llevó las manos a la boca para no chillar de emoción cuando Ramón y Marijose se fundieron en un abrazo «de los de verdad». Mientras tanto, Bianca estaba sacando del bolso varios productos de maquillaje que se cayeron todos al suelo cuando un señor gordito y lleno de pelo chocó sin querer contra ella.

—¡Lo siento! ¡Disculpe, señorita! —dijo el gordito, alejándose a toda velocidad.

Ramón vio al hombre alejarse por encima del hombro de Marijose y le comentó:

—Esto que nos han echado en la bebida es muy fuerte, Marijose... Juraría haber visto al cabrón del cura que me dio la catequesis de pequeño en camiseta de tirantes y bermudas...

Cuarta parte
Hospital Central de Barcelona
Urgencias

La Inspectora Marina Sabater llevaba casi diez minutos esperando a que Jorge, su compañero, terminase de hablar con el cura atropellado. Diez minutos eternos, especialmente por el hecho de que a esas horas ya necesitaba desesperadamente llevarse un cigarrillo a los labios. El hecho de que la habitación no tuviese ventana al pasillo y que no oyera nada a pesar de haber pegado la oreja a la puerta (para eso fue ella detective antes que inspectora) la tenía inquieta. Al final quizá Jorge no se equivocaba y lo del atropello, más que una desgracia, iba a ser una casualidad. Y Marina sabía a la perfección que las casualidades no existen. Se sentía completamente inútil allí parada y sin hacer nada, así que decidió mandar un whatsapp a Jorge para decirle que iba a buscar al médico que había atendido al cura y que si, cuando salía de la habitación no estaba, preguntase en la recepción de Urgencias, que no estaría lejos.

No era la primera vez que caminaba por la zona de Urgencias. Muchas veces habían tenido que vigilar a un delincuente detenido mientras se le practicaban los primeros auxilios, o habían tenido que esperar a las víctimas de un tiroteo con la esperanza de que saliesen vivas y, claro, pudieran declarar. Quizá era porque la ansiedad que veía en la cara de su compañero se le había contagiado, pero avanzó por el pasillo sin mirar lo que ocurría a los lados. Ese día no quería ver desgracias. Justo al doblar la esquina del pasillo, encontró al médico que buscaba.

—Necesito hacerle unas preguntas —le dijo.

—¿Tiene que ser ahora? —le respondió el doctor.

—Si puede ser... sí.

—Pues si me acompaña de camino a la tercera planta, lo vamos hablando...

Marina ni lo dudó. Entró en un ascensor junto al médico y le preguntó lo que más le intrigaba.

—¿Me puede contar qué está pasando exactamente?

—¿A qué se refiere? —quiso saber el médico—. Yo lo que le puedo hablar es del diagnóstico...

—Cuénteme...

—Gracias a Dios, la cosa es más aparatosa de lo que parecía en un primer momento y se puede decir que ha sido su día de suerte. El golpe en la cabeza le ha provocado un traumatismo... le hemos tenido que dar veintiséis puntos... y una pequeña conmoción cerebral. Aparte de las magulladuras y una pequeña fisura en la muñeca izquierda, eso es todo...

—¿Nada más? —inquirió Marina, notando que no lo estaba contando todo.

—Bueno, es un tío joven y como precaución le vamos a dejar veinticuatro horas en observación por seguir el protocolo, pero vamos, que está como un roble... ya me gustaría a mí tener esas analíticas.

—Ahora, cuénteme lo que no me está contando —le interrumpió Marina.

El médico la miró entre intrigado y sorprendido. Tampoco había mucho más que explicar, pero por si acaso... se lo contó.

—A ver, cuando ha recuperado completamente el conocimiento ha sido como si le hubieran dado una descarga eléctrica: se ha puesto demasiado nervioso, completamente rígido, ha sufrido una especie de ataque de ansiedad y no dejaba de repetir que tenía que hablar con el policía que le había traído... era como un disco rayado... Total, que le hemos dicho que sí para que se tranquilizase, y como tenía la vía puesta le hemos administrado un Transilium 50, pero es como si le hubiésemos dado agua del grifo: nada de nada... veinte minutos y no le ha hecho efecto, y seguía emperrado en hablar con su compañero...

—¿Solo con él? —preguntó Marina.

—Sí, se lo dejó muy claro a una enfermera que le pilló intentando quitarse la vía y bajarse de la cama... La pobre le ha dicho que, si se estaba quieto, ella le prometía que le traería a su compañero, porque hay que ver la perra que le ha dado... Ha sido entonces cuando yo he ido a buscarlos. Eso es todo. Bueno, y que tenía los ojos como a punto de llorar y la cosa en sí daba muy mal rollo, muy desesperado... pero eso, claro, no es una opinión médica. Lo mismo lo que necesita es una evaluación psiquiátrica...

Marina se despidió del doctor en la puerta del laboratorio de la tercera planta y volvió al ascensor. Mientras bajaba no dejaba de pensar en lo raro que era todo. Porque en realidad no había pasado nada de nada. A excepción de que habían atropellado a un cura que estaba realmente bueno, lo que era un golpe al futuro sentimental de Marina en toda regla. Todos los hombres guapos o estaban casados, o se acababan de divorciar y estaban traumatizados, o eran unos cabrones de tomo y lomo o (novedad)... eran curas.

—¡Marina! ¡Vamos! ¡Corre!

No le dio ni tiempo a reaccionar. Las puertas se abrieron y Jorge estaba allí. La agarró inmediatamente de la mano y la sacó de golpe del ascensor.

—¡Corre, Marina, corre! —le decía.

No tuvo ni tiempo para pensar. Corrieron hacia la salida y se metieron en el coche, que aún estaba aparcado cerca de la puerta de Urgencias. Arrancaron, esta vez con la sirena, a toda velocidad.

—¡Me puedes decir qué coño está pasando, Jorge! —le gritó ella.

Él la miró a los ojos. Y ella vio algo distinto en su compañero. No era bueno, pero tampoco era malo del todo. Era raro.

—Te lo cuento de camino... pero tenemos que darnos mucha prisa, Marina. ¡Mucha!

Ahora ella sí se dio cuenta. Lo que pasaba no debía de ser bueno. El teléfono empezó a vibrar en su bolsillo. Era Rita.

—Inspectora, ¡vengan ustedes rápido! —le conminó con voz histérica, casi a gritos.

—Rita, tranquilízate..., no te entiendo si me gritas —se quejó Marina.

—Tenemos uno que se ha muerto aquí con muy mala pinta —le informó—. Vengan rápido, que yo no sé qué hacer exactamente... por favor, Inspectora, que es mi primer muerto y me estoy poniendo malísima y no estoy preparada y...

—Haz el favor de tranquilizarte y no te muevas de ahí hasta que lleguemos. Ya estamos de camino —le dijo Marina. Y colgó.

Llegaron a un semáforo y Jorge frenó en seco para no atropellar a unos manifestantes.

—¿Qué pasa? —le preguntó a su compañera.

—Hay un cadáver, Jorge. Acelera. Rita está histérica. Tenemos que llamar a la central ahora mismo...

Él se quedó mirándola fijamente. Y sólo pudo decir una frase.

—Ya ha empezado.

Cuarta parte
El Festival

Llegó justo a tiempo para verlo. El primer peón de la partida había caído. El Padre Eduardo se metió entre la multitud que rodeaba el cuerpo del estúpido que había recibido el primer pasaporte al Cielo en la puerta del baño. Él solito se había matado, que nadie le había obligado a tomar nada, ¿verdad? Por cerdo, por inhumano, por monstruo.

Junto al cadáver de Eduardo, el periodista, se encontraba agachada una mujer que parecía ser agente de policía (¿en bañador?) y hablaba como una histérica por teléfono mientras varios miembros de un equipo de sanitarios se acercaban con una manta de papel dorado para cubrir el cuerpo... A ella se le veía que no controlaba en absoluto la situación y probablemente estaba pidiendo refuerzos, lo que no era nada bueno para el Padre Eduardo, aunque no dejaba de tener su gracia que él, justo él, fuese uno de los espectadores de ese momento.

Tenía ganas de ponerse a gritar ¡HE SIDO YO!, de verdad quería gritarlo. Quería sacar la navaja que llevaba en la bolsa y abrirse el pecho con ella allí mismo para que el Santísimo viese que lo había conseguido. Sobre todo, quería que esos cerdos vieran cuál era el camino correcto. Pero no iba a hacerlo. Eso solo había sido el principio de su obra. Ya era cuestión de muy poco tiempo que los otros empezaran a caer.

Se alejó del grupo y se dio la vuelta. Las decenas de miles de personas que vio no se habían dado cuenta de nada. Seguían bailando esa música infernal, seguían disfrutando, seguían viviendo como si nada importase. Tenían la más horrible de las muertes sobre sus cabezas y no se estaban dando cuenta. Pero todo eso iba a cambiar en cuestión de minutos.

Todos los botes ya habían sido repartidos.

Ahora solo quedaba escapar, buscar una habitación en una pensión discreta y poner la televisión. Y disfrutar.

—¡Pero bueno! ¿Se puede saber dónde estabas?

Al Padre Eduardo se le heló la sangre cuando vio a «su amigo» el dependiente abrazarle con todas sus fuerzas, que eran muchas.

—Yo... es que no me encuentro bien y me iba a ir... —acertó a decir.

—¿Cómo? ¿Que te vas a ir? ¡Vamos! ¡Por encima de mi cadáver!

—Es que me encuentro mal... —protestó el cura.

No pudo reaccionar. Para cuando se dio cuenta, su amigo le había metido una pastilla en la boca y, en un acto reflejo, se la había tragado.

—Con esto se te pasan las penas —le dijo el dependiente al oído sin dejar de abrazarle.

En ese momento, el sistema de megafonía lo anunció:

—¡EMPIEZA LA FIESTA! ¡LET'S START THIS PARTY!

Estaba atrapado.

QUINTA PARTE
Bailar hasta morir

.

Quinta parte
Water Park

Rita miró desde la salida del parking cómo se le alejaba la ambulancia con el cadáver de Eduardo López dentro. Los inspectores aún no habían llegado, y ninguno de los dos contestaba al teléfono. Así que llamó a una prima suya que también era policía y trabajaba en Sevilla para que le echase una mano. Casualidad de casualidades, un juez se encontraba presente en la fiesta («¿Un juez en esta fiesta? ¡Adónde vamos a llegar!», se dijo Rita) y se produjo el primer certificado de defunción y levantamiento de cadáver llevado a cabo por una autoridad en bermudas de flores y gafas polarizadas. El mismo juez le entregó a Rita las pertenencias del cadáver y le hizo saber que ella debía ser la encargada de custodiarlas hasta que llegaran sus superiores. A continuación, un conocido modelo de ropa interior («¿Este también es gay? Mi prima se muere», volvió a pensar Rita) cogió del brazo al juez y se lo llevó, dejándola allí, sola y con una bolsa de supermercado (siempre hay que llevar una bolsa de plástico dentro del bolso) en la mano que no paraba de vibrar.

«¿Qué narices...?», pensó.

Rebuscó en la bolsa, donde había metido provisionalmente las pertenencias del periodista, y sacó el teléfono. Apretó un botón y observó que no tenía ni contraseña ni bloqueo de pantalla («¡Y luego se quejarán de que les roban y les clonan las cosas!»). Al activarlo, lo primero que Rita vio fue una pantalla con un correo electrónico sin enviar. El asunto ponía «Urgente» e iba acompañado de un texto que decía «Vamos a triunfar, jefe». Leer esto a Rita le dio una tristeza muy grande pensando que no somos nada y que lo mismo ese pobre hombre se había quedado a las puertas de la gloria, y, como último acto de homenaje al fallecido, pulsó el botón de «enviar» y que fuese lo que Dios quisiera. Por lo menos, el chico se iría de este mundo triunfando ante su jefe.

—Perdone, ¿es usted la agente Rita?

Rita se dio la vuelta como si la hubiera atravesado un rayo. Se estaba llevando una cantidad de sustos ese día que tenía los nervios a flor de piel. Tenía delante cuatro hombres a los que no había visto en su vida.

—Sí... ¿por?

—Más que nada por la placa que lleva usted entre los pechos, unos pechos preciosos, todo sea dicho —dijo uno de ellos.

—Mire usted, hoy no tengo el día para bromas y mucho menos para comportamientos sexistas, que se me acaba de morir un señor ahí mismo y eso le corta el cuerpo a cualquiera por mucho que sea policía, y resulta...

Y resulta que entonces cayó en la cuenta. Y todavía cayó más en la cuenta cuando el que le había dicho lo de las tetas se bajó las gafas de sol y se quitó lo que parecía ser una gorra con una peluca pegada.

—¡La madre que me parió! —profirió.

Se le había ido completamente la olla. Pero claro, con el jaleo que había tenido con muertes, peleas y blogueras de la televisión pidiéndole cocaína, a cualquiera se le hubiera ido el santo al cielo. Delante de sus narices estaban Miguel Ángel González y Luis Rivas, los protagonistas de *Tú a Chiclana y yo a Porriño*, los dos actores más famosos de España con otros dos hombres que la miraban con cara divertida. Las cuatro personas que la Inspectora Sabater le había dicho que tenía que recoger y ayudar a entrar en la fiesta mientras ellos llegaban.

Rita estaba en shock. Y no ayudaba nada que Luis siguiera mirando de «esa manera» a la altura de sus pechos. Luis Rivas, su fondo de pantalla de tablet, ordenador y móvil. Luis Rivas, el mismo Luis Rivas que le había hecho ver «esa porquería de película» siete veces...

—Si todas las policías de España fuesen como usted, habría más gente en las comisarías que en un concierto de Justin Bieber —le dijo.

¿Qué hace una policía recién salida de la academia cuando tiene a su ídolo delante de las narices mirándole las tetas con cara de no haber comido caliente en cuatro días? Pues reaccionar. Y lo más rápido posible. Así que Rita volvió a meter el teléfono en la bolsa del súper, metió la bolsa del súper en su bolso, se atusó el pelo, se colocó bien el escote del biquini, se pellizcó las mejillas y por último comprobó que sí, que estaba perfectamente depilada. Todo ello en menos de tres segundos.

—¡Hola!, ¿qué tal? —les dijo intentando parecer natural y que no se notara que estaba a punto de darle un síncope—. Ya me vais a disculpar, que se nos acaba de morir uno, y con lo de las elecciones estamos sin refuerzos, y no es que yo esté impresionada, que lo que viene siendo gente muerta, yo todos los días a patadas, pero hija, sin infraestructura, sin juez de guardia, que resulta que ha venido uno a certificar la muerte casi en tanga, sin refuerzos, pues ya me contarás cómo soluciona esto una así, en soledad...

Santiago y Alejandro estaban a punto de explotar de risa. Estaban viendo que cualquier realidad superaba la ficción y ambos, sin saberlo, se habían hecho una nota mental de escribir un personaje clavado a Rita e introducirlo en la nueva comedia que estaban escribiendo. Miguel Ángel miraba de un lado a otro y Luis seguía con la mirada en el mismo sitio hasta que dijo:

—Pues nada, agente, o me esposa aquí mismo o entramos a la fiesta y nos tomamos todos unos rebujitos para ponernos a tono con la ocasión, que nosotros venimos finos también...

—¡Si hasta hemos atropellado a un cura! —le interrumpió Miguel Ángel.

—¿Cómo? —preguntó Rita.

—Bueno, nosotros no, en realidad lo ha atropellado su jefe, el Inspector, que nos traía de camino aquí por hacernos un favor después de lo del secuestro en la gasolinera, que menuda se ha armado...

Un cura atropellado. Un secuestro en una gasolinera. Su ídolo enfocado en sus tetas, porque desde luego no le hablaba mirándola a la cara. Rita estaba a punto de resetearse y no podía articular palabra. Demasiada información.

—¿Qué tal si entramos dentro, nos tomamos algo y nos relajamos un poquito todos? —propuso Santiago.

A Rita le pareció la mejor opción. Ella se lo merecía. El momento había que aprovecharlo. En menos de diez segundos, por la cabeza de Rita pasó toda su vida junto a Luis, el hombre de sus sueños. Se enamorarían en esta fiesta, harían el amor como dos animales en celo hasta caer rendidos y, presas de la locura, del arrebato y del frenesí, se casarían al día siguiente en la iglesia de su pueblo, más que nada por destrozar la moral de todas sus vecinas y amigas. Después se mudarían a Madrid y vivirían al lado de Ana Obregón, con la que Rita quedaría para asesorarle de cómo ser una policía creíble en el cine, porque Ana tenía que hacer de policía sí o sí.

—¡Hala! —le dijo Luis agarrándola del brazo—. Vamos p'adentro y saca la placa para que nos hagan pasillo.

Los dos actores se volvieron a colocar la «gorra-peluca» y las gafas de sol y los cinco se encaminaron hacia la entrada. Superar el control no fue problema: los chicos de seguridad ya la conocían y cuando dijo «estos vienen conmigo» les dejaron pasar sin ningún problema. El increíble poder de la placa en el escote.

Y llegaron a la fiesta.

La música a tope. El DJ animaba a la masa desde el escenario con un ritmo atronador. Un sol de justicia. Decenas de miles de personas bailando, sudando, divirtiéndose en la mejor fiesta del año. Después de observar el panorama, decidieron que iban a pedir algo para beber («Yo una Fanta, que estoy de servicio», dijo Rita) y luego se mezclarían con la multitud.

—Yo a usted la quiero cerca, agente —le dijo Luis—, porque imagínese que se me cae la peluca, me reconocen las fans... la que se puede liar aquí... y claro, que no me da la gana que piensen que soy gay, que yo de gay nada... yo soy hetero. ABSOLUTAMENTE HETERO.

Dos palabras que hicieron estallar fuegos artificiales en el corazón de Rita. Si lo piensas, aquello era como lo de «El guardaespaldas» de Whitney Houston, pero al revés. Ella sería la encargada de protegerle, y claro, no iba a quedar otra. En la cabeza de Rita, la respuesta a todo aquello era... el amor.

—Estaré con usted hasta que lleguen mis superiores, por lo menos... —le aseguró ella.

—¿Vamos a seguir tratándonos de usted, ignorando el hecho de que me está usted poniendo supercachondo, agente? ¿Me va usted a detener si le digo que quiero arrancarle cada trozo de ese bañador con los dientes? —le dijo Luis.

Y la agarró de la cintura con fuerza. Exactamente igual que en las películas. Como una quiere que la cojan toda la vida de Dios. Así. Con brío. Con ímpetu. Y con lo que parecía ser un paquete fuera de serie. Y Rita muda.

—Oye —les interrumpió Alejandro—, que he pensado que lo mejor de todo es si nos vamos a escuchar música en medio de la piscina. Ahí en medio de todo el mundo es donde más desapercibidos vamos a pasar...

—Claro que sí —le contestó Rita, apartando la mano de lo que ya no era su cintura.

Los cinco avanzaron entre la multitud y se metieron en la piscina, que tenía el escenario central justo enfrente. Rita se agarraba a su Fanta como quien se agarra a un clavo ardiendo. No sabía si tenía más ganas de contarlo o de vivirlo. Trató de parecer desinhibida y de sentirse a gusto. Pero le estaba costando, cosa que a Luis parecía divertirle mucho.

—¿Llevas la pistola en el bolso? —le preguntó.

—Sí, claro —le contestó ella.

—¿Y una porra?

—También, una telescópica...

—¿Y un látigo? —siguió preguntando Luis, ya con los ojos casi fuera de las órbitas.

—Látigo no, que una cosa es ser policía y otra dominatrix..., pero en casa tengo unas esposas de peluche rosa de la despedida de mi prima que son... mmmm —le contestó Rita, que no se podía creer lo que acababa de decir.

En ese momento, Santiago se les acercó.

—No os mováis de aquí, que vamos a la barra a por otra ronda... ¡Joder con este calor! ¡No os mováis, que ahora mismo volvemos!

Rita y Luis. Solos en aquella explosión de música, luces, sol, gente guapa y con muy poca ropa. Desde luego, si esto se lo mandaba san Antonio por las veces que le había pedido un buen novio, a san Antonio había que hacerle un homenaje. Pero de repente notó algo en el culo. Y no, eso no, que las fáciles nunca triunfan y Rita no quería parecer una cualquiera.

—Oye —le dijo a Luis—, ¿tú me estás tocando el culo?

—Ganas no me faltan, pero no...

Rita miró por encima de su hombro y no, no había nadie detrás. Pensó que la excitación la estaba confundiendo y siguió como si tal cosa. Pero a los pocos segundos, otra vez. Un golpe en las nalgas. Esta vez volvió a mirar por encima de su hombro antes de decirle a Luis:

—Hey, me vuelves a tocar el culo y te enteras de lo que es una policía enfadada.

—Pero ¿qué me estás contando, guapa?

—¡Que no me toques el culo, que no soy una fresca!

—Tranquila..., que ya te he dicho que no te estoy tocando el culo... —le aseguró Luis más serio.

—No me vaciles, ¿eh?... —le dijo ella colocándose bien el bolso—, no me vaciles...

—Oye, que si te pones así lo mismo te quedas aquí sola y te las apañas... Mira que me he dicho cientos de veces que no hay que follar con fans, que se ponen muy ansiosas y luego pasa lo que pasa...

Y otro golpe en las nalgas. Esta vez Rita se dio la vuelta a la velocidad del rayo y no había nadie detrás de ella. Detrás no, pero debajo sí. Justo a la altura del culo estaba el cuerpo de un chico flotando boca abajo.

—¡Ay, madre! ¿Tú has visto eso? —le dijo a Luis.

—¡No me jodas! ¡No me jodas!... —exclamó Luis llevándose las manos a la cara.

—Luis, dime algo, que me estoy poniendo nerviosa perdida...

—Yo qué sé. O el muchacho está haciendo la prueba de la apnea como en *Supervivientes* o la cosa tiene mala pinta.

—Luis, por favor, dale con la pierna...

—¿Yo? Amos, tú estás loca, lo que me faltaba...

—Luis, que le des.

—Ni hablar del peluquín, guapa, que lo mismo es mejor largarse de aquí —replicó él.

Y entonces Rita, que dejó atrás a la fan enamorada y volvió a ser una policía de servicio, se agachó y dio la vuelta al cuerpo del chico flotante.

—¡ESTÁ MUERTO!

El grito que Luis pegó se oyó en todo el parque acuático. El chico de la piscina al que alguien había conocido minutos antes como «Mulato Gostoso Pas», efectivamente estaba muerto, completamente pálido, con los ojos en blanco, restos como de baba y sangre en la boca y las venas del cuello a punto de explotar. Vamos, que estaba muy muerto. Absolutamente muerto. Y Luis sin parar de gritar. Aquello ya era un aullido.

Y de repente se oyó otro grito.

Uno de los gogós acababa de caer desmayado al agua desde el escenario mientras una compañera vomitaba entre convulsiones agarrada a un altavoz.

Tras una especie de explosión sorda se cortó la música. El DJ acababa de caer redondo entre convulsiones sobre la mesa de mezclas provocando un cortocircuito con un sonido demasiado parecido al de un disparo. A su lado, una chica rubia y jovencísima gritaba sin parar intentando reanimarle. Fue entonces cuando la gente se percató de que algo ocurría con aquel silencio súbito y empezó a correr, a gritar y a intentar escapar de aquello en medio de un pánico colectivo que se contagió en segundos. Y cuanto más corría la gente, más cuerpos empezaron a aparecer en el suelo con la misma pinta del que le había tocado el culo a Rita (sin querer) en la piscina.

Ahora sí, la fiesta había comenzado.

Barcelona
Hospital Central

—Sara..., ¿tú no tenías un hermano que iba a la fiesta esa de la piscina?

—Sí, ¿por?

—Pues ya le estás llamando, que el novio de Paco, el de urgencias de Pediatría, estaba allí y acaba de llamarle diciendo que se ha armado una buena, que hay gente muerte y no sé qué líos...

—¡Ay, Dios mío! —apostrofó la otra—, a ver si es lo que me ha dicho Merche de recepción, que estaban cortos de uvis móviles por las elecciones y necesitaban apoyo urgente.

—Mujer, lo mismo no es nada, pero llama por si acaso...

El Padre Damián salía del baño de la habitación a la que le habían subido justo cuando escuchó la conversación entre dos enfermeras. «Gente muerta y no sé qué lío.» O sea, que al final había pasado. Gente muerta. Dos palabras que cayeron sobre el cura como una losa de tres toneladas. Nada de lo que había hecho había servido para parar al Padre

Eduardo, y el daño ya estaba hecho. Se estremeció pensando en cuántas víctimas inocentes se habría cobrado ese monstruo. Por la cabeza le pasaron dos mil cosas a la vez. Pero sobre todo una. Una que iba a marcar un antes y un después en su vida... eso de lo que, al final, no había podido escapar porque siempre había estado ahí. Y algo contra lo que no iba a poder luchar de ninguna de las maneras. El corazón se le encogió al mismo tiempo que la respiración se le aceleraba y el estómago le dio un vuelco. Estaba teniendo otro ataque de ansiedad.

«Piensa rápido. Piensa rápido. Piensa rápido.»

Abrió el armario de la habitación y sacó su ropa, que estaba prácticamente destrozada. A la camisa le faltaba una manga, el pantalón estaba casi completamente rasgado a la altura de la rodilla y su bolsa se la había llevado el Inspector. ¿Y sus zapatillas?

«Piensa rápido. Piensa rápido. Piensa rápido.»

Se vistió lo más rápido que pudo, robó unos zapatos del chico de la habitación de al lado y salió al pasillo justo cuando nadie estaba mirando. El camino hacia el ascensor se le hizo eterno. El dolor de la muñeca crecía: se estaba pasando el efecto de la medicación que le habían dado. Dolía mucho, y cada vez que respiraba notaba un pinchazo. Y sin embargo, ahora nada podía pararle.

«No puedes luchar contra el destino», se decía mientras miraba los números descender en la pantalla del ascensor.

«No puedes luchar contra el destino», se repetía mientras buscaba la puerta de salida.

«No puedes luchar contra el destino», pensaba una y otra vez mientras salía desesperado a la calle buscando una manera de escapar de todo aquello.

Vio un coche de policía estacionado en la puerta principal del hospital. Corrió todo lo que pudo.

—¡Por favor, necesito ayuda!

Los agentes le miraron de arriba abajo. Solo necesitaba que le dejaran hablar menos de un minuto. Cuando terminó de explicarles lo que pasaba, los policías hicieron una comprobación por radio. Un par de minutos más tarde, ya estaban los tres en el coche policial rumbo al parque acuático.

«No puedes escapar de tu destino. No vas a escapar porque no te quedan fuerzas y no quieres escapar.»

El coche patrulla se abría paso entre las calles llenas de gente y no era suficientemente rápido. Toda velocidad era poca. Necesitaba llegar como fuera. Tenía que llegar. Porque, si no llegaba a tiempo, igual se quedaría el resto de sus días sin la respuesta que le llevaba años machacando la vida. Y no quería vivir así. Ya no podía más.

«No puedes luchar contra tu destino porque ya no te quedan fuerzas.»

Todo por culpa de una serie de increíbles coincidencias.

Y una conversación que había tenido hacía menos de media hora.

Barcelona
Hospital central
Media hora antes

Jorge respiró hondo antes de girar el pomo de la puerta. ¿Es posible que tu cabeza te juegue una mala pasada? Es posible. O se estaba volviendo completamente loco o era más que posible. Era una realidad. Porque para el Inspector las casualidades no existían.

Abrió la puerta de la habitación y caminó hasta quedarse a los pies de la cama. No había duda esta vez, a pesar de la penumbra. Eran esos ojos. Los mismos que esa mañana le habían dejado paralizado en medio de la calle. Los mismos ojos que llevaban toda una vida apareciéndosele en sueños de vez en cuando. Sobre todo cuando tenía uno de esos momentos en que detestaba su vida y, por encima de todo, su soledad. Esos ojos. No podía ser, pero era.

—Hola, Jorge... —dijo el Padre Damián desde la cama—..., eres tú, ¿verdad?

Por primera vez en muchos años a Jorge se le humedecieron los ojos. Después de tanto tiempo, estaba allí, delante de sus narices. Y no podía articular palabra. Solo pudo asentir y agachar la cabeza para que Damián no viera que estaba a punto de caérsele una lágrima.

—Jorge... —le dijo—, han pasado muchos años...

—Veinticuatro, para ser exactos —le contestó el Ispector en voz baja.

—Es mucho tiempo...

—Ha sido demasiado tiempo.

—Necesito que me ayudes —le imploró el cura intentando incorporarse.

—Y yo necesito que me digas dónde has estado, que me digas por qué te fuiste, que me digas por qué nunca volví a saber nada, que me expliques qué pasó... —exigió Jorge apretando los puños.

—Ahora no es el momento...

—¿Voy a tener que esperar otros veinticuatro años? ¿Otros veinticuatro años para encontrarte y darme cuenta de que eres... cura? ¿En serio eres cura?

—Jorge, necesito que me escuches y que me ayudes...

Durante toda su vida, el Inspector Jorge Álvarez había luchado contra todo y casi contra todos. Lo suyo era luchar. Y nunca había mirado atrás a pesar de aquella cuenta pendiente. Superman solo podía ser derrotado con kriptonita, y Damián era la kriptonita de Jorge, lo que pasa es que nadie lo había sabido nunca. Y el solo mirarle daba respuesta a miles de preguntas que llevaba tantos años haciéndose.

—Va a matar a mucha gente, Jorge... a mucha gente —reveló Damián intentando mantenerse en pie y dando unos pasos.

—No sé si quiero que te acerques, Damián —le contestó.

Damián se quedó parado agarrándose a los pies de la cama, a menos de un metro de Jorge.

—Me tuve que ir porque no pude soportarlo —empezó Damián—. Teníamos 15 años..., ¿qué iba a saber yo de la vida? Yo pensaba que lo que hacíamos estaba mal...

—¿Enamorarse estaba mal? —le recriminó Jorge con rabia en su voz.

Damián se acercó un paso y puso su mano sobre la de Jorge.

—Me pudo el miedo —confesó—. Tú ya sabes que por aquel entonces yo ya era muy de la Iglesia, y cuando te conocí a ti, todo lo que yo pensaba, lo que yo sentía, lo que había planeado... todo eso cambió.

—¿Tan malo fue?

—¡Yo quería ser misionero! Lo tenía todo decidido. Y apareciste. Y pasó lo que pasó. Me vi entre la espada y la pared. Nunca te quise decir que en unos meses ingresaría en un seminario, total, ¿para qué?... Pienso en aquellos días como una despedida del mundo real, porque entonces mi mundo real era lo que había descubierto contigo... hasta hablé con un orientador de la Iglesia; me dijeron que estaba enfermo, que tenía que apartarme de ti, que Dios me devolvería al camino correcto... La de veces que he rezado para que te fueras de mi cabeza, la de veces que me he dicho que lo nuestro estaba mal...

Jorge tenía que tomar la decisión. O le apartaba la mano o le escuchaba, una de dos. No pudo apartarle la mano. Ni en ese momento ni hacía veinticuatro años. El calor de su mano era el mismo. Incluso con los ojos cerrados podía notarlo.

—¿Qué quieres que haga? —le preguntó sin mirarle a la cara.

Damián hizo un relato lo más coherente posible de lo que estaba pasando, de lo que ya había pasado y de lo que podría pasar si Jorge no actuaba rápido. Le pidió que le acercara la bolsa y sacó todo lo que encontró del Padre Eduardo. Jorge hizo una llamada telefónica a una tal Rita. Algo debió de escuchar que le cambió la cara.

—¿Tienes una foto del Padre Eduardo? —le preguntó.

Damián encontró en su teléfono una imagen en la que salían junto a otros curas en una foto con alumnos. Jorge la amplió hasta centrarse en la cara del cura y le hizo una foto con su móvil. Después se hizo una llamada a su móvil desde el teléfono de Damián. Así tenía su número.

—No te vas a escapar otros veinticuatro años, ni lo sueñes... —le advirtió.

—Estoy agotado de escapar —le contestó Damián.

—Tenemos mucho que hablar.

—Todo lo que quieras, pero ayúdame ahora, por favor.

Jorge caminó hacia la puerta.

Damián casi no podía tenerse en pie y se sentó en la cama.

Jorge se dio la vuelta, volvió sobre sus pasos, cogió a Damián por los hombros, le incorporó. Y le besó. Y durante cuatro segundos el mundo se paró.

—Llevas veinticuatro años debiéndome esto —le dijo justo antes de salir por la puerta—, y voy a volver a por más. Y no te vas a escapar.

Damián se quedó de pie, le vio salir y se puso a rezar. Pero esta vez para volver a verle.

Barcelona
Parque acuático

Marijose y Ramón habían subido con Bianca y Jasmina al merendero, junto a la entrada. El sol brillaba con más fuerza que nunca y Marijose echaba de menos sus gafas de sol de imitación. Lo mismo esos cristales la dejaban ciega, pero nadie se había dado cuenta de que no eran unas Gucci de verdad. El sol la estaba cegando y solo escuchaba la voz de Jasmina.

—Todas las parejas tienen sus momentitos, mi diosa —le decía—, y mira tú por dónde que yo creo que Ramón y tú de esta os volvéis a casar, porque la cosa no puede ser más chévere. Ahora tú sabes que él va a ser siempre tu perrito...

—Marijose, no me jodas que se lo has contado —las interrumpió Ramón.

Marijose asintió sin ver la cara de Ramón. Definitivamente, drogarse no era lo suyo. Todavía estaba mareada y el sol no le dejaba ver nada. Así que permanecía con los ojos cerrados dejándose acariciar por la voz de Jasmina.

—Estáis más unidos que nunca, mi vida; tu papaya y su papaya ya son una única papaya. ¿Quién me iba a decir a mí que iba a tener un momento así de romántico en un sitio como este? —seguía Jasmina.

—Cariño míooooo, que mira que... —les interrumpió Bianca.

—¡Ni cariño mío ni nada! —le gritó Jasmina—, que mira en qué cochambre casi terminamos por tu *cabesota* loca...

—Pero es queeee... —seguía Bianca.

Jasmina se giró de golpe y cogió a Bianca por los hombros.

—¡Que te calles! ¡Que me tienes loca con tus pelotudeces! —le gritó, zarandeándola.

—Jasmina, no se me ponga usted *histerizada*, que lo que pasa es que... —intentaba decir Bianca.

—¡Me da igual lo que me tengas que decir! ¡ME DA IGUAL! —le chilló—. No es el momento, que yo te quiero y eres mi *mamasita* y todo lo que tú quieras, pero ahora no es tu momento, chava, ahora es el momento de Marijose y...

Jasmina entonces se dio cuenta de que Ramón estaba al lado de Bianca con la misma cara de asombro. Los dos miraban detrás de ella y de Marijose con cara de susto, y solo cuando Bianca levantó su mano y señaló hacia el frente se dio cuenta.

No había música.

Se oía gente gritando.

Mucha gente gritando.

Y no eran gritos de alegría.

Se dio la vuelta y lo vio. Miles, decenas de miles de personas corrían en dirección a ellos en una estampida como si estuvieran escapando de un apocalipsis zombi. Los iban a aplastar de un momento a otro. Cada vez estaban más cerca.

—¡POR AQUÍ! —alguien gritó—. ¡CONMIGO!, ¡CONMIGOOOO!

No pudo ni reaccionar. Para cuando se dio cuenta, estaba corriendo con Marijose, Ramón y Bianca siguiendo a una mujer que corría en bañador con un bolso y ¿una placa de policía en el escote? y un tipo con gorra y la peor peluca que había visto en su vida.

—¡Mas rápido! ¡Más rápido! —les gritaba la mujer policía.

—¡Yo no puedo correr más con estos tacones! —gritó Bianca.

Se dieron la vuelta y observaron con incredulidad que Bianca seguía llevando puestas las sandalias de doce centímetros. En el césped. Jasmina, una mujer de reacciones rápidas, la tumbó de un golpe, le arrancó las sandalias y la volvió a poner en pie. En menos de diez segundos.

Corrían en diagonal, pero en dirección contraria a la de la masa enloquecida. Es decir, o daban un giro rápido o se los llevaban por delante.

—¡Por aquí! ¡Todos por aquí! ¡Rápido! —gritó Rita.

—¡Corre, Marijose, cariño! —gritó Ramón.

Pero Marijose no estaba a su lado. Histérico, Ramón miro a su alrededor y no la veía. La localizó a menos de veinte metros. Bianca no era la única que se había empeñado en correr con tacones, y Marijose estaba en el suelo con una mueca de dolor intenso en su cara.

No se lo pensó dos veces. Si corría lo suficiente le iba a dar tiempo. Corrió hacia ella todo lo que pudo, la agarró y la cogió en sus brazos. Marijose dio un grito de dolor señalado a su pie izquierdo.

—¡Ya estoy aquí! ¡Súbete a mi espalda! —le gritó Ramón.

Miles de personas estaban ya a menos de diez metros de ellos. El tiempo suficiente para que Ramón escapara de la avalancha por los pelos. Un poco más adelante vio al grupo de las chicas, se cargó a Marijose a su espalda y empezó a correr en dirección a ellos. Tropezó y volvió a caer al suelo llevándose a Marijose por delante, que rodó ladera abajo.

O hacía algo o los dos iban a morir aplastados en menos de un minuto.

Barcelona
Parque acuático

Jorge y Marina oyeron los gritos desde el acceso al parking. No se molestaron ni en cerrar la puerta del coche y salieron disparados hacia la entrada. Lo que fuese que estuviera ocurriendo les acababa de explotar en sus propias narices.

—¿Nos separamos o vamos juntos? —le gritó Marina.

—Hasta que no lleguen los refuerzos, tú no te separas de mí —le indicó.

Atravesaron la carretera que separaba el parking del acceso al parque a toda velocidad y tuvieron que frenar en seco ante lo que vieron. Una multitud de personas salían por las puertas de acceso en medio de una histeria colectiva, como quien escapa de una casa en llamas. Vieron a alguno de ellos caerse, y también vieron cómo les pasaban por encima.

—¿Qué hacemos? —dijo Marina—. ¿Cómo vamos a localizarle en medio de todo esto? ¿Qué hacemos, Jorge?

Jorge miró a un lado y a otro. Viendo la velocidad a la que se acercaban los que escapaban del recinto, no le quedaba mucho tiempo antes de tomar una decisión.

—¡Por allí! —Y cogió a Marina de la mano para salir corriendo hacia uno de los laterales del parque.

Se apartaron de la masa en dirección al parking y Jorge aprovechó para sacer del bolsillo trasero de su pantalón un mapa del recinto que estaba en la bolsa que Damián le había dado en el hospital. Lo estudió durante unos segundos y con la mirada le indicó a su compañera que debían dirigirse hacia la derecha. Mientras corrían en dirección a lo que parecía ser un muro de setos, Marina intentaba poner orden en su cabeza. Había un cura asesino en el parque que iba a matar a todas las personas que pudiese regalando una droga líquida que había sido envenenada previamente. Una droga que iba a repartir en botecitos que podrían compartir varias personas. El cura tenía un plan que había preparado durante meses meticulosamente. Marina intentaba poner todas estas ideas en orden y tenía fija en su cabeza la imagen del sospechoso que Jorge le había enseñado. Marina tenía una memoria fotográfica impresionante: era ver una cara y recordarla para siempre. Y las cosas como son, el sospechoso tenía una cara de mala persona que no podía con ella. Lo complicado iba a ser localizarle en medio de todo aquello y pillarle con algo. Si había repartido toda la droga, ¿cómo iban a poder incriminarle si los testigos podían estar todos muertos? Y a juzgar por cómo corría la gente, lo que estaba ocurriendo dentro no tenía muy buena pinta.

—Vamos a intentarlo por aquí...

Jorge le señaló un pequeño muro de hormigón. Se subieron los dos casi de un salto y comenzaron a intentar trepar por el seto. Con muchísimo esfuerzo, dejándose literalmente la piel en las ramas del seto, llegaron arriba y saltaron al interior del recinto.

Aquello era el caos.

Miles de personas comenzaban a formar un tapón alrededor de las salidas. O alguien hacía algo rápido o la avalancha iba a terminar siendo mortal. Y a grandes males, grandes remedios. Jorge sacó la pistola y disparó tres tiros al aire. Al oír el estruendo, muchas de las personas que corrían hacia la salida se dieron la vuelta asustados y, cuando vieron que les intentaban ayudar, se dirigieron corriendo hacia ellos.

—¡Subid por los setos! —les gritaba Marina—. ¡Por los muros! ¡Trepad!

Cientos de personas comenzaron a encaramarse a los setos, que poco a poco empezaron a perder rigidez por el peso de los inesperados pasajeros y se doblaban hacia el exterior. Jorge miró hacia atrás y vio que las salidas estaban un poco menos congestionadas, pero seguían siendo un riesgo. Dejó a Marina ayudando a la gente a seguir trepando y se acercó a la multitud. Volvió a disparar dos veces. Cuando vio que otro grupo grande de gente le veía, les empezó a hacer señas hacia otros setos que estaban más a la derecha. Inmediatamente comprendieron que aquella iba a ser una salida mejor y le hicieron caso.

Marina veía a su compañero gesticular frenéticamente. Luego le vio correr hacia una de las salidas y perderse en la multitud. A los pocos minutos, volvió a verle sacando a un chico en brazos. Y luego a otro. Y otro. Y otro. Los iba dejando al lado de un bar que estaba a la izquierda, apoyados en unas mesas. Allí nadie los pisaría. Marina, a la vez que ayudaba a la gente cada vez más presa de la histeria, seguía intentando que le enviaran refuerzos, sin mucha suerte. Cuando informó al Comisario de lo que estaba pasando en el parque acuático, le había contestado de muy malas maneras que todo lo que le podía mandar eran cuatro patrullas y un par de ambulancias. Eso era todo lo que les podía conseguir. En el centro de la ciudad un grupo de radicales se habían puesto a destrozar todo lo que pillaban por delante y tenían una amenaza creíble de bomba en Portal del Ángel. Intentó llamar a Rita para localizarla dentro del parque, pero no le contestaba al teléfono.

Marina vio a una pareja de chicas que corrían de la mano. Una de ellas tropezó y cayó. Marina empezó a gritarles, gesticulaba, intentaba llamar su atención. Pero no hubo suerte. Para cuando pudo reaccionar, cientos de personas habían pasado por encima de ellas en su huida desesperada hacia la salida.

No pudo hacer nada. No tuvo tiempo.

Se le revolvió el estómago y le entraron ganas de llorar de la rabia. Buscó por todos lados a Jorge. Necesitaba que la ayudase. Había demasiada gente en los setos y al final podía ser peor el remedio que la enfermedad. Pero no le vio.

Jorge había desaparecido.

Barcelona
Parque acuático

Se había quedado completamente solo y no podía estar más feliz. De hecho, nunca pudo imaginar ser así de feliz. No podía controlarlo. Las manos le temblaban, su cuerpo se estremecía con tan solo notar la brisa sobre su piel. El Padre Eduardo no estaba viviendo un éxtasis en medio del caos: estaba experimentando en su cerebro los efectos de una pastilla de éxtasis. Y no podía ser mejor.

Cuando empezaron los gritos y se cortó la música, él estaba en uno de los laterales del escenario principal con el grupo de osos aterrorizado ante lo que podía pasar después de haberse tragado sin querer aquella pastilla que le habían metido en la boca. Ahora no quedaba nadie a excepción de varios cadáveres: todos habían salido corriendo como ratas dejándole allí. Porque eran eso, ratas. Y él no podía parar de sonreír. Se sentía tan espléndido, tan pleno, tan dichoso que estaba a punto de echarse a llorar. Jamás sintió una emoción parecida.

Tenía mucho calor.

Gotas de sudor se le metían en los ojos y le nublaban la visión. Se los frotó para comprobar que aquello no era un sueño y que de verdad estaba sucediendo. Aquello era justo lo que él había soñado. Un paraíso de muerte y destrucción a plena luz del día, a los ojos del mundo. Generaciones venideras recordarían aquello como el segundo Sodoma y Gomorra. Y le recordarían a él. Ya no pensaba en escapar. La Mano Divina había obrado para que él presenciara lo magnífico de su obra.

—¡Ayúdame!

Intentando mantener el equilibrio, el Padre Eduardo se dio la vuelta y vio a una chica que se arrastraba como podía bajando las escaleras del escenario. La chica se agarraba el estómago y tenía la cara descompuesta. Desde el mismo escenario se oía la voz de un hombre que pedía ayuda.

—¡Ayúdame, por favor!

Con una mano, la chica se agarró a la barandilla de las escaleras y alargó la otra mano hacia el cura en un intento desesperado de conseguir ayuda. El Padre Eduardo observaba fascinado la escena sin mover un solo músculo. No se iba a mover. Sentía una euforia interior que no se podía explicar con palabras. No podía estar más fascinado. Tenía ganas de gritar, pero el nudo en la garganta se lo impedía. Era su victoria contra Satanás, que reptaba hacia él en forma de muchacha moribunda.

La chica puso los ojos en blanco, se convulsionó y cayó rodando por las escaleras para terminar a sus pies. Abrió los ojos y le miró.

—Por favor... —le susurró la chica en un último aliento.

El Padre Eduardo le sonrió. No había nada mejor que ser testigo de la agonía de un demonio como aquel. La felicidad crecía y crecía en su interior. Sin poder borrar la sonrisa de su cara, le pegó una patada en la cabeza y acabó con su sufrimiento.

Miró hacia arriba y vio las escaleras que subían al escenario principal.

Ya no oía los gritos. Volvió a oír la voz de un hombre pidiendo ayuda desde arriba.

—¡Por favor, que alguien nos ayude!

Estaba justo donde tenía que estar.

A los pies de las escaleras que le iban a conducir al Cielo.

Sacó la navaja de su bolsa y empezó a subir los peldaños.

Por fin, iba a ver la magnitud de su obra.

Barcelona
Entrada al parque acuático

adrenalina (n. fem.). Hormona segregada por las glándulas suprarrenales que, en situaciones de tensión, aumenta la presión sanguínea, el ritmo cardíaco, la cantidad de glucosa en la sangre, acelera el metabolismo, etc.

No le dolía nada. Ni siquiera notaba la tensión en la piel de su cabeza provocada por los puntos de sutura y no se acordaba del intenso dolor que provenía de su muñeca fracturada. Al bajar del coche patrulla, supo que lo único que tenía que hacer era correr. No le importaba que en ese mismo momento miles de personas vinieran despavoridas en su dirección. Tenía que correr para encontrarle.

—¡Oiga! ¡Vuelva aquí ahora mismo! —le gritó uno de los policías.

No les hizo caso. Quizá el Padre Damián tenía el juicio nublado, pero no iba a mirar atrás. Después de la conversación con Jorge en el hospital, tenía un mal presentimiento y sentía que la vida era agua a punto de escapársele entre los dedos. Mientras se alejaba, oía a los policías que le habían traído pedir refuerzos y ambulancias a gritos por radio. Pero él seguía corriendo. Ni siquiera se dio cuenta de que la herida de su cabeza había empezado a sangrar de nuevo.

Seguir de frente no era una opción si no quería ser aplastado por la gente. Al mirar a la izquierda vio un grupo de chicos atravesando lo que había sido una pared de setos, Se dirigió hacia allí y, con un salto rápido, consiguió atravesarla e introducirse en el recinto. A menos de veinte metros de distancia, entre la gente que corría pudo distinguir la figura de la Inspectora Marina, que estaba parada mirando de un lado a otro con evidentes signos de desesperación en su cara. En cuanto llegó a su lado la agarró del brazo.

—¿Dónde está Jorge? —le preguntó.

Ella se quedó en estado de shock al verle allí. Las cosas no podían estar complicándose más.

—¿Qué haces aquí? —se extrañó ella.

—He venido a buscar a Jorge —le contestó—, y a ayudaros... Quizá yo pueda hacer algo con el Padre Eduardo...

Marina le cogió del brazo.

—No hay ni rastro de él. No le hemos visto. Jorge estaba aquí a mi lado hace nada —dijo sofocada—. Se ha caído una chica y creo que ha ido a ayudarla, pero he perdido el contacto visual unos segundos... y ya no estaba.

Damián se dio cuenta de que desde donde estaban iba a ser imposible encontrar a Jorge. Se acordó de su época como monitor de los *boyscouts* y recordó que siempre había que otear desde un sitio alto. Miró hacia arriba y vio la carpa de la zona vip. Desde allí podrían tener una visión mejor de todo el recinto y, si había suerte, encontrarían a Jorge. Porque tenía que encontrarle.

Corrieron entre la gente esquivándolos como podían y en un par de minutos estaban los dos subiendo las escaleras que conducían a la carpa.

—¡Necesito ayuda! —les gritó alguien al verlos llegar.

Matías estaba arrodillado en el suelo con el cuerpo de su hermana Carla entre sus brazos. La chica estaba completamente pálida y le costaba respirar.

—Perdóname, Matías... Ha sido por mi culpa... —decía ella.

Matías los miró desesperado.

—Ha bebido algo de la copa de esta chica y en pocos minutos se ha empezado a poner así... Por favor, ayudadme... es mi hermana.

Detrás de Matías, tumbado boca abajo, estaba el cuerpo de la chica que había invitado a Carla a un trago de su copa. Marina se llevó las manos a la cabeza y se dio cuenta de que ya nada se podía hacer por ella. Damián estaba buscando en su mente una manera de ayudarles lo más rápido posible.

—Sal por allí y da un pequeño rodeo a la derecha —le indicó a Matías señalándole un punto concreto—. No vayas en dirección a la salida. Vete a uno de los laterales del parque... allí hay unas paredes de setos por las que puedes salir con menos problema, y cuando estés fuera corre hacia la entrada del parking, allí están unos policías que me han traído y que estaban pidiendo ayuda.

Matías no se lo pensó ni un minuto. No podía dejar que nada le ocurriese a su hermana. La cogió en brazos y bajó las escaleras. Damián los vio perderse entre la multitud y pensó que ojalá llegasen a tiempo. Marina le cogió del brazo y le señaló justo enfrente de ellos. Antes de mirar, Damián respiró hondo porque sabía que no iba a ser bueno.

Cadáveres. Muchos cadáveres. Flotando en la piscina. Tirados en las barras. Aplastados en el suelo. Muchos cadáveres. Al final había llegado tarde.

—¡Inspectora! ¡Inspectora! —se oyó un grito.

Marina se giró y vio como Rita subía las escaleras de acceso a la carpa con un grupo de gente. Bianca y Jasmina la seguían con el miedo incrustado en la cara y detrás de ella estaba Luis, el actor con el que habían estado esa misma mañana.

—¿Dónde están tus amigos? —fue lo primero que le preguntó Marina.

—No lo sé, justo se fueron a pedir unas copas y yo me quedé con Rita en la piscina cuando empezó todo esto —le dijo con la cara desencajada.

Marina, que tenía la manía de empatizar con la gente aunque solo hubiese pasado dos minutos de su vida con ellos, rezó para que estuviesen a salvo y hubiesen podido escapar. Pero había que actuar rápido. Sacó el teléfono de su bolsillo y lo encendió.

—¿Habéis visto a mi compañero?

Rita y Luis dijeron que no con un movimiento de cabeza.

—¿Y a este hombre?

Marina les mostró la pantalla del móvil que tenía la fotografía del Padre Eduardo.

Los dos volvieron a negar con la cabeza.

—¡Yo sí lo he visto! —aseguró alguien.

Damián y Marina se giraron y vieron a una pareja. Él estaba con los brazos apoyados en las rodillas, completamente extenuado. Ella estaba a la pata coja dando saltitos señalando desde atrás la pantalla del móvil.

—¡Marijose, Dios bendito! —gritó Bianca con lágrimas en los ojos—. Yo, que estaba pensando que os habían aplastado como dos salchipapas...

—Mejor ni te lo cuento, hija —le respondió Marijose, que seguía a la pata coja.

—Y yo sé quién es —dijo Ramón a la Inspectora.

Marina apartó a Bianca y se centró en Marijose, que por lo visto era experta en cotillear pantallas de móvil a varios metros de distancia. Si algún día Marijose contara de lo que se había enterado cotilleando, con esta táctica, los móviles de sus amigas, su pueblo se venía abajo.

—¿Dónde le has visto? —le preguntó Marina.

Marijose, sin dejar de dar saltitos y buscando un sitio donde apoyarse, le contestó:

—En realidad le he visto varias veces, porque tengo memoria «fotogénica» para acordarme de las caras... —Hizo además de pensar y soltó—: Sí, ya caigo. La primera vez le vimos mientras se pegaban Carla y Beltrán...

—¿Quiénes son Carla y Beltrán? —exigió saber Marina.

—Carla, coño, la de la tele —le dijo Marijose—, la del programa del *fashion*...

Luis, que estaba al lado de ellos, se dio la vuelta, asombrado:

—¿Qué pasa con Carla la de la tele? ¿La bloguera?

—Sí —respondió Marijose—, con la que me he pegado antes...

—¿Que tú te has pegado con Carla? —se extrañó Luis.

—Oye —intervino Rita—, ¿y tú de qué conoces a Carla?

—Es mi exnovia —les contestó Luis.

—¿Que es tu exqué...? —dijo Rita, asombrada.

—¡Madre del amor hermoso! —gritó Marijose—. ¡Pero si tú eres el actor eseeeee! ¡Pero si eres un picaflooooor!, ¡qué va a ser esa tu novia! ¿Podemos hacernos un selfie? ¿Porfa?

Marina estuvo a punto de darle dos gritos, pero en ese momento vio que Damián se llevaba la mano a la cabeza y luego se la miraba. Seguía sangrando. Le pidió a Ramón que se ocupase de él.

—Digo yo que si esa es tu ex se hubiera enterado toda España —le dijo Rita un pelín enfadada.

—¡Lo manteníamos en secreto! —contestó Luis de mala manera—, pero es que con la vida que llevamos era imposible, y tuvimos que dejarlo...

—Ya hablaremos tú y yo luego —le dijo Rita.

—¿Que tú le has pegado a mi Carla? —se enfureció Luis avanzando hacia Marijose.

—Ha sido un intercambio de opiniones, porque ella me ha insultado la primera, y por cierto —siguió Marijose—, yo que tú hacía las paces rápido porque nos acabamos de cruzar con ella y un chico la llevaba en brazos y tenía muy mala pinta, que iba desmayada perdida y pálida como una chufa...

—¿Cómo? —preguntó Luis justo antes de salir disparado escaleras debajo de la carpa.

—¿PODEMOS DEJAR ESTO PARA LUEGO? —gritó la Inspectora señalando a Marijose—. Tú..., ¡ven aquí!

Marijose avanzó hacia la Inspectora con dos saltitos.

—Sigue diciéndome dónde has visto a este hombre —le conminó, señalando de nuevo a la foto del Padre Eduardo.

—¡Todo el día! —respondió Marijose—. Primero en la entrada con un grupo de gorditos, luego le hemos visto cuando se ha muerto el chico ese del baño y estaba ahí mirándole y...

Marijose se calló de repente. La expresión de su cara cambió de repente.

—¿Dónde más le has visto? —le exigió la Inspectora.

—El caso es que le estoy viendo ahora mismo —respondió asustada.

Damián se levantó de la silla y corrió junto a la Inspectora al oírlo. Marina siguió con la mirada el dedo de Marijose, que apuntaba al escenario principal. Allí, rodeado de unos cuantos cadáveres, justo en medio estaba el Padre Eduardo agarrando a Santiago, el director de cine, que estaba de rodillas y tenía al cuello una navaja que el cura amenazaba con deslizar de un momento a otro. A pocos metros de ellos estaban en el suelo Alejandro y Miguel Ángel gritando.

—¡Jorge! —gritó Damián.

Marina no lo había visto, pero Damián sí. Su compañero estaba en ese mismo momento acercándose a las escaleras del escenario principal.

Barcelona
Escenario principal del parque acuático

—Por favor no me mates... por favor...

Santiago estaba arrodillado en el suelo y no podía parar de llorar. El Padre Eduardo sostenía un cuchillo a la altura de su garganta. Y seguía sin poder parar de sonreír. Esa sensación de poder le estaba volviendo literalmente loco.

—¡Al suelo! ¡Como se acerque uno lo degüello como a un cerdo! —gritó el cura señalando a Alejandro y Miguel Ángel, que se arrodillaron con las manos sobre la cabeza en el extremo del escenario que daba a la piscina que tenían debajo.

Mientras tanto, subiendo sin hacer ruido por las escaleras, Jorge avanzaba poco a poco. Desde lejos había visto lo que estaba ocurriendo y tenía que detener aquello. Debía tranquilizarse y pensar en cómo hacerlo. No tenía su arma. La había perdido en medio del tumulto. No tenía nada con que defenderse. Al asomar la cabeza para ver lo que ocurría en el escenario, el último peldaño crujió. El Padre Eduardo oyó el ruido, se dio la vuelta y le vio.

—¡Tu! —le gritó—, ¡con ellos!

Desde la carpa vip, Damián y Marina vieron como Jorge aparecía en el escenario con las manos en alto y avanzaba con paso lento. Por un instante, Jorge amagó con acercarse al cura, al que oyeron gritar. Damián se llevó las manos a la cara. No podía creer lo que estaba viendo.

—¡Vuelves a hacer eso y le rajo! ¡LE RAJO! —La voz del Padre Eduardo resonó en todo el recinto, ya casi vacío por completo.

Jorge siguió avanzando muy lentamente hacia donde estaban Miguel Ángel y Alejandro y se arrodilló en el suelo junto a ellos.

—¿Tienes algo con que atacarle? —preguntó Damián a Marina.

—Tengo la pistola, pero no sé las balas que quedan —le contestó ella—. Hemos disparado varias veces al aire para llamar la atención de la gente...

Marina sacó el cargador y vio que quedaba una sola bala. Se lo mostró a Damián.

Sin mediar palabra, los dos salieron de la carpa vip en dirección al escenario. Atravesaron una zona de toboganes de agua para acceder a unas escaleras que estaban en la parte opuesta a las que había usado Jorge. Caminaron intentando no hacer ruido cuando empezaron a oír los gritos. Se les heló la sangre.

—¡Habéis sido vosotros guiados por la mano de Dios! —gritaba el Padre Eduardo desde el escenario—. ¡No he sido yo! Vosotros, demonios, vosotros habéis caído en vuestra propia trampa. ¡Como cerdos! —Y se reía—. ¿Pensabais que no ibais a pagar un precio por apartaros de las Sagradas Escrituras? ¡Ilusos!

Marina y Damián siguieron avanzando y llegaron al tramo de escaleras que conducía al lado del escenario donde estaban Jorge, Miguel Ángel y Alejandro. Marina observó con preocupación la herida de Damián: varios puntos se le habían abierto y no dejaba de sangrar.

—¡Nos habéis manchado a todos —seguía gritando el cura—, habéis envenenado nuestra sociedad! ¡Y hoy habéis tomado de vuestra propia medicina! ¡Dios no ama a los pervertidos! ¡Dios no os quiere! ¡Pensabais que podíais seguir infectando el mundo de enfermedades y que no iba a pasar nada! Pensabais que todo estaba permitido porque un cerdo os permitió casaros. ¡Ya le llegará a ese cerdo su sanmartín!

Marina y Damián alcanzaron el último peldaño de uno en uno muy sigilosamente para no hacer ningún ruido. Desde allí podían ver a los tres hombres arrodillados. A su izquierda, veían al cura de espaldas sujetando la cabeza de Santiago. Miraban constantemente a Jorge para ver si conseguían hacer contacto visual, pero no hubo manera.

—¡Vais a morir todos! ¡TODOS! —gritaba el cura—. ¡No estoy solo! ¡No soy el único! ¡Acordaos del Levítico cuando decía que «Si alguno se ayuntare con varón como con mujer, abominación hicieron: ambos han de ser muertos; sobre ellos será su sangre.»! ¡Y hoy vuestra sangre es mía!

Damián observó perplejo como Marijose, su marido, Bianca y Jasmina se acercaban a las otras escaleras de acceso al escenario; por detrás los seguían Luis y Rita. Con la mano y los ojos casi fuera de las órbitas, les hizo una seña para que se detuvieran en seco. Ramón hacía señas de querer subir y estrangular al cura. Damián, con mímica, les indicó que esperaran y que no hicieran nada y a continuación se puso a hablarle a Marina al oído. Cualquier paso en falso podía ser fatal.

—¿No sabéis que los injustos no heredarán el reino de Dios? No erréis; ni los fornicarios, ni los idólatras, ni los adúlteros, ni los afeminados, ni los que se echan con varones... ¡Lo dijeron los Corintios! —gritó el cura apretando la hoja de la navaja contra el cuello de Santiago—. Lo dijeron y no habéis hecho caso... estabais muy ocupados destruyendo todo por lo que hemos luchado los que creemos en la justicia divina... os daba igual, claaaaro que os daba igual... ¡hasta que he llegado yo!

Damián miró a los ojos a Marijose. Ella era con la que mejor se entendía en esa situación. Ramón era la opción de la fuerza bruta y no le servía. Bianca y Jasmina estaban abrazadas con pinta de no entender la magnitud de lo que estaba ocurriendo. Marina se preparó para lo que iba a suceder. Damián empezó a gesticular en dirección a Marijose. Esta asentía con la cabeza como si estuviese entendiendo todo lo que Damián le intentaba explicar con gestos. Se entendían. Luego le hizo unas señas a Rita.

—Por favor, no me mates... —gemía Santiago.

—¿QUE NO TE MATE? —gritó el Padre Eduardo, apretando aún más la navaja contra su cuello y alzando la voz hasta convertirla en un chillido horrible—. ¡No lo entiendes! ¡No lo entiendes! ¡YA ESTÁS MUERTO! ¡TODOS ESTÁIS MUERTOS! ¡TODOS! ¡MUERTOS!

Y empezó a deslizar la navaja por el cuello de Santiago, del que empezaba a brotar un hilo de sangre.

—¡Yo no estoy muerta, hijo de puta!

El Padre Eduardo se sorprendió por la voz que oyó a su espalda. Al darse la vuelta sin soltar a Santiago, vio a Marijose avanzado por el escenario en dirección a él, lentamente.

—¡Yo no estoy muerta! —repitió.

—¡Un paso más y lo mato! —le gritó el cura.

—Yo tampoco estoy muerta —se sumó Rita, apareciendo en escena con su pistola en la mano.

—¿Vas a poder con las dos? —le preguntó Marijose.

—¡LE MATO! —amenazó el cura—. ¡LE MATO!

—Antes te reviento la cabeza de un tiro, cabrón —le dijo Rita apuntándole a la cabeza en la distancia.

—¡LE MATO! —gritaba el cura—. ¡Atrás! ¡Atrás!

Ese fue el momento en que, a la velocidad del rayo, Marina aprovechó para lanzar su pistola a Jorge, con el que al fin había podido establecer contacto visual. Y todo ocurrió en cuestión de segundos.

Jorge alcanzó la pistola.

Miguel Ángel y Alejandro aprovecharon el despiste para saltar desde el escenario a la piscina.

El Padre Eduardo giró al oír el ruido apretando más el cuello de Santiago.

Jorge disparó su única bala y le alcanzó en el hombro.

El Padre Eduardo cayó de rodillas abatido por el impacto.

Santiago se soltó y, agarrándose el cuello se parapetó detrás de Rita y Marijose.

Bianca y Jasmina gritaban histéricas abrazadas a Ramón y a Luis.

Damián subió al escenario y corrió hacia Jorge.

Rita disparó al cura y le alcanzó justo en el medio del pecho.

El Padre Eduardo cayó desplomado boca abajo.

Jorge avanzó hacia el cuerpo del cura, se agachó y le dio la vuelta.

No lo vio venir.

Con un último aliento de vida, el Padre Eduardo clavó su navaja en el pecho de Jorge, que con cara de no entender lo que sucedía, miró su mano llena de sangre, se tambaleó unos pasos hacia atrás y cayó del escenario a la piscina.

Damián, horrorizado, le arrancó la navaja de las manos y se puso a horcajadas sobre él. El sol le cegaba los ojos.

Tenía la cara cubierta de la sangre que manaba de su cabeza. Pero no había nada que pudiese detener su rabia.

—¡Esta vez no! —gritó Damián—. ¡Esto no me lo vas a quitar!

Y hundió la navaja en el pecho del cura. Una y otra vez.

El Padre Eduardo murió mirando al cielo escupiendo sangre por la boca.

Damián se desmayó.

Al fondo, se oían las sirenas.

Parque acuático

«El batir de las alas de una mariposa puede provocar un huracán en otra parte del mundo.»

Rita nunca supo lo que era «el efecto mariposa» a pesar de que ella era la mariposa y delante de sus narices tenía los restos del huracán. Con medio cuerpo cubierto de sangre al tratar de ayudar a Damián, observó desde el escenario los restos del naufragio. Y no lo entendía. Varias cadenas de televisión se adelantaron a los refuerzos policiales. Por supuesto, Rita no podía imaginar que al pulsar «enviar» en la pantalla del teléfono del fallecido periodista Eduardo López, estaba siendo la última responsable de la portada que había revolucionado una jornada electoral. En la edición digital de *El Mundo Español* (el periódico para el que trabajaba Eduardo) no se hablaba apenas de los sondeos a pie de colegio electoral. El gigantesco titular decía:

ENCONTRAMOS AL DIPUTADO MATÍAS ES-
QUIVEL JUNTO A SU HERMANA EN UN FESTI-

VAL PARA HOMOSEXUALES QUE TERMINA
CONVERTIDO EN UNA ORGÍA DE SEXO, DRO-
GAS Y MUERTE.

Debajo del titular se mostraban fotos y vídeos de lo que
había sido el día de Matías y su hermana. Se informaba de
todo: de la presunta compra de drogas, de la pelea de la
bloguera con su némesis Beltrán (había un enlace al vídeo
de la pelea), se mostraba el cambio de imagen de Matías
analizado por tres prestigiosos expertos y la información se
iba actualizando con fotos de la masacre que varios de los
asistentes habían subido a sus redes sociales. Si España y
Cataluña se separaban para siempre, ya no importaba. Esto
iba a interesar mucho más.

—¡Rita, ayúdanos!

La Inspectora Marina Sabater le pedía ayuda a gritos.
Le hizo una seña para que sacara a toda la gente que estaba en el escenario y los trasladase al exterior. Mientras
tanto, Damián permanecía en el suelo con el cadáver del
Padre Eduardo a su lado. Damián seguía sangrando y
Marina se quitó la camisa para taponar la herida abierta
en su cabeza.

Marijose se abrazó a Ramón y, cuando nadie los estaba
mirando, sacó el teléfono y se hizo un selfie junto a su marido con el dantesco escenario de fondo.

—A ver si van a decir en el pueblo que nos lo hemos inventado —le dijo al oído.

Se oyó un golpe seco. Bianca, al final, había sucumbido a
la tensión y se había caído redonda. Al grito de «Ay, Vir-
gensita, no te la lleves ahora, que te prometo que más nunca vamos a una fiesta», Jasmina, presa del pánico al ver a su
amiga pálida por primera vez en su vida, comenzó a abofe-
tearla hasta que no se sabe si por los golpes o por causas

naturales Bianca abrió los ojos, miró a su amiga y le dijo con un hilo de voz:

—Una cachetada más y te arrastro, penca.

Las dos se pusieron en pie y, ayudadas por Rita, bajaron las escaleras del escenario y se dirigieron hacia la salida. Las sirenas de la Policía cada vez se oían más cerca.

—¡Rita!

La Inspectora Sabater la llamó desde el escenario, ya despejado. Seguía intentando que la cabeza de Damián dejara de sangrar. Miró al frente y vio que varios cámaras de las distintas cadenas nacionales estaban atravesando en ese momento las puertas del parque. Había que hacer algo rápido. Aquello era el escenario de un crimen y debía ser protegido. ¿Dónde estaban los refuerzos?

—¡Marina!

El corazón estuvo a punto de estallarle a la Inspectora.

—¡Marina! ¡Aquí abajo!

No podía ser. Esa voz. No podía ser.

Dio unos pasos hacia el borde del escenario. De allí venía la voz. Se quedó paralizada y no sabía si quería mirar abajo o no. Era el momento perfecto para que su cabeza le jugara esa mala pasada. No dio crédito a lo que veía: su compañero estaba nadando hacia una de las salidas de la piscina. Su instinto le hizo mirar el agua para comprobar si había mucha sangre. Tan solo un pequeño círculo flotaba deshaciendo el rojo y mezclándose con el azul del fondo.

«Poca sangre, pocas posibilidades de morir», pensó.

—¡Ay, madre mía, que está vivo! —chillo Rita a su espalda.

Marina vio como Rita se arrodillaba al lado de Damián y sostenía su cabeza sobre sus piernas a modo de almohada. Damián sufrió una especie de convulsión y abrió los ojos.

Se quedó mirando a Rita con cara de no saber quién era y levantó la mano para alcanzar su cara.

—Jorge... Jorge... Jorge... —fue lo primero que dijo.

—¡Estoy aquí!

En ese momento Rita pensó que los que hacían los anuncios de colonia para «hombres muy hombres» debían de inspirarse en cosas como esta. Porque cuando vio a su jefe subir las escaleras del escenario con ese cuerpazo, ese pelo empapado, ese pecho herido y esa cara de ir a salvarte la vida, ella le hubiera comprado cualquier cosa que él le hubiese querido vender. Lo que fuese. Tan ensimismada estaba que ni se dio cuenta de que su jefe le estaba hablando a gritos.

—¡Rita, espabila, por Dios! ¡Hay que sacarle de aquí! —le apremió.

—¿Qué... ha... pasado? —preguntó Damián, asustado.

Damián hizo ademán de incorporarse. Jorge le pidió que se estuviese quieto. Apartó un momento la blusa de Marina para ver cómo estaba la herida de la cabeza y lo que vio no le gustó un pelo. La mitad de los puntos de sutura estaban abiertos y, aunque no sangraba profusamente, un hilillo de sangre no dejaba de manar.

—¿Qué coño hacemos ahora? —le dijo Marina, señalando hacia la entrada.

Jorge pudo comprobar que varios equipos de televisión con cámaras y algunos espontáneos estaban ya dentro del parque y se disponían a grabar imágenes de aquello. Algunos estaban haciendo fotos y vídeos con sus teléfonos móviles.

—Id vosotras —les ordenó—. Voy a tratar de estabilizar a Damián y ahora mismo bajo. Quítales los teléfonos, las cámaras... lo que haga falta. Tú sabes cómo hacerlo —dijo mirando a Marina.

Las dos bajaron a toda velocidad y en un tiempo récord consiguieron (a punta de pistola incluso) sacar a los equipos de periodistas del recinto. En la puerta recibieron a varias patrullas y les explicaron todo lo que había ocurrido. El objetivo era blindar el perímetro y que nadie saliese o entrase a excepción de los equipos médicos.

Marina y Rita dejaron pasar a sus compañeros y se quedaron en la puerta, paradas, sin saber qué hacer. Delante de ellas tenían un escenario de muerte y destrucción para el que ninguna de las dos habían sido preparadas.

—¡Por favor, necesitamos ayuda! ¡Aquí! ¡Ayuda! —se oyó una voz al fondo.

En ese momento sonó el teléfono de Marina. Le estaba llamando el Comisario Mendoza, su superior.

—Rita, vete yendo hacia allí, ahora mismo te alcanzo —le dijo.

Si el Comisario llamaba es que ya se había enterado. Es decir, malas noticias. Justo lo que le faltaba.

—Comisario, aquí Sabater.

—¡Diez minutos llevo llamando a su compañero! ¿Se puede saber qué hostias hace con el teléfono? —le gritó.

Marina es ese momento pensó «que te den por el culo, troglodita». Siempre, siempre, el Comisario llamaba a Jorge antes que a ella a pesar de que los dos tenían el mismo rango. Ni una sola vez. Puto machismo. No le iba a dar el gusto de llamarle de todo; contó hasta diez y le contestó:

—Pues probablemente no le ha cogido el teléfono porque el cura que ha montado esta historia le ha apuñalado en el pecho y ha caído desde varios metros de altura a una piscina. Y antes de que me lo pregunte, no, no se ha muerto ni se ha ahogado. Le ha rozado el esternón, pero no ha causado un gran daño. Y ahora mismo está intentando salvar al otro cura y tratando de que la prensa no se meta aquí y nos joda el escenario...

Al otro lado del teléfono se hizo el silencio. Tres segundos que se hicieron como tres horas. Probablemente el Comisario Mendoza tenía el proceso mental de un pez globo y estaba tratando de asimilar la información.

—¡Tenemos un problema de cojones, Inspectora! ¡De cojones! —dijo el Comisario.

—¿Me lo dice o me lo cuenta? —ironizó Marina, visualizando como el techo de la comisaría se derrumbaba sobre su jefe.

—¡De cojones! —repitió el Comisario, que parecía haber entrado en bucle.

Marina no sabía ni a qué se refería y no le iba a contestar. El Comisario le seguía hablando, pero ella ya no le oía. Rita venía corriendo hacia ella haciendo aspavientos y, a juzgar por su cara, tampoco traía buenas noticias.

—Tenemos un problemón, Inspectora... Ay, madre de Dios —exhaló.

—¿Tú también? —le contestó Marina.

Rita, hecha un manojo de nervios, la agarró del brazo y la arrastró al interior del parque.

—Yo no muevo ni un pelo hasta que usted vea esto — le dijo.

Marina miró al escenario y vio que Jorge estaba de pie sujetando a Damián, que ya se había incorporado. Veía el cadáver del Padre Eduardo a sus pies. Si no eran ellos..., ¿qué estaba pasando?

Parque acuático

Marina y Rita corrieron hacia uno de los laterales del parque y bordearon la zona de los toboganes hasta alcanzar la parte trasera. Allí, junto a la entrada, estaba un hombre con una mujer a sus pies. Él no paraba de hablar entre sollozos y ella no dejaba de vomitar. La cosa no tenía muy buena pinta. La chica estaba completamente pálida y su piel, a la sombra, tenía un color azulado realmente tétrico. Se agarraba el estómago y movía la cabeza con sacudidas violentas. Él intentaba hablar, pero todo eran incoherencias.

—¿Y esto? —preguntó Marina a Rita.

—¿Cómo que... y esto? —respondió Rita.

Marina la apartó un momento y le dijo en voz baja:

—Que no sé qué coño es esto, por lo menos están vivos...

—¿Pero no se ha dado cuenta de quiénes son? —le hizo ver Rita.

Antes de que pudiera contestar, volvió a sonar el teléfono de la Inspectora. Otra vez era el Comisario. El mismo

Comisario al que le había colgado la llamada sin explicación. El mismo Comisario que le había dicho que tenían un problema «de cojones».

—Comisario —se disculpó Marina—, perdone que le haya colgado, pero es que...

—¡Ni es que ni hostias! ¡Escúcheme con atención! —le gritó.

—Soy toda oídos —le contestó mientras hacía señas a Rita para que se ocupara de la chica que no paraba de vomitar y gritar al mismo tiempo.

—Voy a serle directo —empezó el Comisario—: Me ha llamado el jefe del jefe del jefe del jefe de mi jefe...

Rita le dio un golpe en el brazo para que le hiciera caso. Le señalaba a la pareja en el suelo y hacía gestos como diciéndole que los mirara a la cara.

—Me he perdido, señor —dijo Marina.

—¿No me entiende usted, o tengo que mandarle un mapa? —gritó el Comisario—. ¡El jefe del jefe del jefe del jefe de mi jefe! ¡Coño! ¡El que más manda! ¿Lo ha entendido?

—Más o menos, señor.

—Tenemos una situación muy complicada ahí donde está usted. Parece ser que un diputado, un político de primera fila, se encuentra en esas instalaciones. Esto ya está en todas las portadas de los periódicos digitales y no se puede hacer nada. Parece que puede haber un montaje para involucrarle en un asunto de compra de drogas con su hermana. Y también una pelea de la hermana que deja al político en cuestión en mal lugar...

Marina no entendía absolutamente nada de lo que le estaba diciendo su jefe. No sabía qué tenía que ver con lo que estaba pasando. Aquello no era una prioridad. Y Rita seguía empeñada en contarle algo a través de la mímica. Un desquicie.

—Nos ha llamado un confidente relacionado con alguien que manda mucho en el Partido —siguió el Comisario—, y nos han dicho que pudiera ser que unos independentistas radicales hubieran secuestrado al diputado y a su hermana, que por lo que se ve es una famosa que sale en la tele hablando de no sé qué de ropa, y los hubieran drogado durante horas a los dos con intención de matarlos para vengarse del opresor Estado Español justo en el día de las elecciones. ¡Tiene usted que peinar la zona y traérmelos vivos y coleando! ¡Como sea! Y haga el favor de sacarlos sin que nadie los vea... Esto es muy importante. No sabe usted la que me están montando...

Marina se rascó la cabeza. Había decenas de cuerpos muertos desparramados por el parque y el resto de la gente ya había escapado. Es decir, o estaban muertos o no estaban allí. Y así se lo hizo saber al Comisario.

—Pues vaya muerto por muerto comprobando si son o no son ellos. Le mando por mensaje una captura de pantalla del periódico, que por lo visto él ahora tiene unas pintas muy raras. Y cualquier cosa que pase, llámeme inmediatamente.

Y colgó.

—Tranquila, bonita, que ya verás cómo se te pasa... que te tengo yo que volver a ver hecha una reina en la tele muchos años —oyó como le decía Rita a la chica del vómito, que había recuperado algo de color.

En ese momento, Marina recordó la frase del Comisario «su hermana, que por lo que se ve es una famosa que sale en la tele hablando de no sé qué de ropa» y en ese momento, sin quitarle ojo a la chica, notó como su teléfono vibraba. Tenía un mensaje del Comisario. Pero no le hacía falta abrirlo.

—¡Pero si son el diputado y su hermana! —exclamó.

—¿Y qué cree que llevo cinco minutos intentando decirle? —protestó Rita—. ¡Si es que solo me ha faltado vestirme de india y prenderles fuego para que me hiciera caso!

Matías Esquivel sintió que no podía más. Abandonado por su pareja, sacado del armario delante de toda España, drogado por su propia hermana, que estaba a punto de morir en sus brazos y con un dolor genital espantoso debido a una erección que le había durado casi dos horas. Y todo en menos de dos días. Se puso a llorar apoyado en la espalda de su hermana, que, al fin, había dejado de vomitar y parecía que estaba volviendo a su ser. Su cara ya no estaba tan pálida como antes, pero desde luego tenía pinta de ir a caer redonda de un momento a otro.

—Tenemos que sacarlos rápido de aquí, pero no podemos ir por la puerta principal —le indicó a Rita—, hay que ir por un lateral...

—Pues va a ser un poco complicado —objetó.

Marina echó un vistazo a las paredes de setos, ya derrumbadas, y pensó que iba a dar igual. Estaban rodeadas de gente intentando ver lo que pasaba dentro. Salir por allí lo único que haría sería despertar más sospechas.

—Ahora mismo vengo —le dijo a Rita.

Se adelantó unos pocos metros y se agachó ante el cadáver de un chico que llevaba un pareo a la cintura. Con mucho cuidado, deshizo el nudo y se lo quitó. Se sintió terriblemente mal haciéndolo, pero no le quedaba otra. Volvió hacia donde le esperaban y les dio las instrucciones.

—A ver, tú —dijo señalando a Matías—, te vas a poner este pareo por la cabeza. No quiero ni que se asome ni un pelo. Y a tu hermana la vamos a sacar entre mi compañera y yo... ¿Puedes escucharme? —se dirigió a Carla.

Carla asintió con la cabeza.

—Pues ponte el pelo en la cara —le ordenó—. Cuanto menos se te vea, mejor, que no quiero líos. ¿Me habéis entendido?

Los tres asintieron de nuevo. Marina y Rita cogieron a Carla y caminaron lentamente hacia la salida. Matías las seguía por detrás tapado con el pareo. Cuando llegaron, Marina pidió que trajesen rápido una camilla para sacarlos. En cuanto llegó un médico echó un vistazo rápido a Carla y la tumbó en la camilla con respiración asistida. Su hermano, con pareo y a moco tendido, las seguía ya hacia la salida, donde les esperaba el último obstáculo: la prensa, los curiosos y cualquiera con un teléfono móvil.

Se abrían paso con bastante esfuerzo. Los policías trataban de hacer pasillo, pero era tal la cantidad de gente que era muy complicado. Y entonces sucedió. Un chico con un tupé enorme y un bolso de mano tiró de uno de los extremos del pareo que cubría a Matías, dejándole al descubierto. Beltrán, el bloguero enemigo de Carla, no iba a dejar que las cosas terminaran así, por supuesto que no.

—¡Es Carla, la de la tele! —gritó—. ¡Y su hermano, el marica facha!

Matías se quedó paralizado. Rita miró a Marina con cara de terror. Marina, desde aquel día, es ver un hombre con tupé y querer asesinarle con sus propias manos. El frenesí se destapó en pocos segundos. Flashes, cámaras, empujones, gritos, una masa enloquecida con los teléfonos a punto.

—¡Matías! —interpeló una periodista—, ¿qué va a decir tu partido cuando se entere de que sois drogadictos y vais a orgías?

—¿Está muerta del todo tu hermana? —preguntó otro.

—¿Es más cara la droga en España que aquí? —preguntó uno de un diario independentista.

Carla, en un último arrebato de personalidad, elevó un poco la cabeza, se quitó la bomba de oxígeno, localizó a Beltrán entre la multitud y le hizo una peineta. Luego se desmayó.

Muy a duras penas consiguieron llegar a la ambulancia. Se metieron a toda prisa y, cuando arrancó, Matías miró por la ventanita de atrás. Su cara de espanto a través del cristal por lo que dejaba atrás sería la portada de la mayoría de los periódicos mundiales al día siguiente.

El teléfono de Marina volvió a sonar. Era el número de la Comisaría. La que le iba a caer encima iba a ser legendaria.

—Inspectora Sabater —contestó.

—Marina, soy Ramón, de Homicidios...

—¡Uf, Ramón! Creía que era el jefe —respondió ella.

—¡Vaya movida! Que estaba viendo la tele, y menuda se ha armado con el político, ¿eh? Y se ha empezado a poner rojo, pero rojo rojo, y le ha dado un infarto que casi se nos queda ahí mismo...

Marina no le había deseado el mal a nadie en su vida, pero aquello era un salvavidas que alguien le estaba mandando desde el más allá, sin duda.

—Oye, que nos hemos enterado de lo de Jorge, que le han herido, que te llamaba para saber cómo está —dijo Ramón.

Se le había pasado por completo. La última vez le había visto en el escenario levantando a Damián con el Padre Eduardo muerto a sus pies. ¿Dónde estaba Jorge?

Entrada al parque

En medio de un mar de flashes, Marijose y Ramón salieron del parque abrazados y la nube de periodistas se abalanzó sobre ellos. Era su momento de gloria. En medio de aquel baño de sangre, Marijose experimentó lo que llevaba toda la vida viendo a través de las redes sociales, lo mismo que le pasaba a Kim Kardashian cualquier día al salir de su casa con su marido y el hijo que hubiera tenido ese mes.

Tenía que ser lista y decidió que había que mantener la dignidad poniendo cara de pena. Entre la multitud pudo reconocer a su reportera favorita del programa de las mañanas. Decidió que tenía que hablar solo con ella: de esa manera se aseguraba de que todo el pueblo estaría viéndola en esos momentos. Abrazada a su marido, se acercó hacia la reportera entre empujones y le dijo que ella era la elegida.

—Tenemos con nosotros a una superviviente de lo que ya se conoce como «el baile de la muerte» —comenzó la reportera, que estaba emitiendo en directo con el programa de mayor audiencia de las tardes para un «Especial Elecciones».

Mientras la periodista narraba en directo un resumen de los hechos de la jornada, Marijose se soltó de Ramón, dio la espalda a la cámara y le hizo tres preguntas:

—¿Estoy guapa?

—Sí —le contestó él.

—¿Tengo el pelo hecho un asco?

—No —le volvió a contestar.

—¿Se me ve gorda?

—Tú nunca has estado gorda, mi vida.

Y a continuación, agarrándole por la cintura, Ramón le pegó el morreo de su vida. Acompañados de cientos de curiosos, cámaras y flashes, al final Marijose vivió el momento que marcaría un antes y un después en su vida, un beso mil veces mejor que el de Iker y Sara, adónde va a parar. Ella, sabiéndose ya una estrella mediática, apartó a su marido con delicadeza, se echó el pelo hacia atrás, respiró profundamente y dijo:

—Me llamo Marijose, este es mi marido Ramón y hemos sido testigos de todo. Hemos visto a la muerte con nuestros propios ojos y estamos vivos de milagro —explicó con una cara entre el espanto y la victoria y con voz dramática.

Los gritos, los empujones, las preguntas, los micrófonos... nada de eso impidió a Marijose comportarse como una profesional. Se había pasado toda la vida viendo programas de testimonios en la tele y sabía perfectamente lo que tenía que hacer. Había que aprovechar el tirón y contestar poco para que así la invitasen a todos los programas y contar su historia pero perfectamente vestida y maquillada. Esta vez, vaya que si se iban a enterar las lagartas de sus vecinas.

—Yo soy el marido de Marijose —dijo Ramón—, y les puedo decir que sé quién es el asesino, porque le conozco desde pequeño porque era el cura de mi pueblo y...

¡ZAS!

Un codazo a la altura del hígado de Ramón le hizo callarse de repente.

—Y ahora mismo estamos en *chok*, que es lo que quería decir mi Ramón —le interrumpió Marijose mirando a cámara e intentando que no se notase el codazo que le acababa de dar a su marido—, y necesitamos descansar, pero no tendremos ningún problema en ir a tu programa la semana que viene a contarlo todo con todo lujo de...

Poco dura la alegría en casa del pobre. La Inspectora Marina apareció y se interpuso entre Marijose, Ramón y la cámara. Apartó a golpe de placa a todos los medios de comunicación y casi derriba a la reportera. Lo que le faltaba, una friki con ganas de salir en la tele.

—¡Son testigos y tienen que prestar declaración en dependencias policiales! —gritó—. Una vez que hayan terminado... son todos vuestros. Ahora hagan el favor de no entorpecer el paso.

Agarró a Marijose y a Ramón uno por cada brazo y se abrió paso a empujones hasta llegar a una furgoneta policial. Habló con dos compañeros que custodiaban el furgón y después se dirigió al matrimonio.

—Vayan subiendo, por favor, que les vamos a tomar declaración en comisaría... —les informó.

—¡Oiga, agente! —protestó Marijose—. ¡Era mi momento!

Marina no daba crédito a lo que oía.

—¿En serio? —le dijo—. ¿Tu momento? ¿Y toda esta gente muerta? ¿Es su momento también? Y al juez... ¿qué coño le decimos?, ¿que era más importante contarle todo lo que ha pasado a esa cotorra de la tele antes que a él porque era tu momento? ¿Tú crees que le va a hacer mucha gracia al Señor Juez?

Marijose estaba que le hervía la sangre por dentro. Total, si le iba a contar lo mismo al juez que a la periodista. No conseguía entender la diferencia. Y esa policía pesada apuntándola con el dedo.

—¡Ni media palabra! —les ordenó Marina—. Hasta que os tomemos declaración en comisaría, ni media palabra. Ahora mismo viene mi compañera Rita y siento repetirme, pero... ¡ni declaraciones ni nada!

Marijose se calló. Aquello era peor que un *coitus interruptus*.

Las cosas cambiaron cuando se abrió el furgón y los vio dentro.

Parque acuático

Tras dejar al matrimonio con hambre de televisión en el furgón, Marina se abrió paso entre la gente para volver a la entrada principal del parque, que gracias a Dios ya había sido acordonada del todo, encontrándose los periodistas ya a varios metros sin posibilidad de acceso. Al entrar, un equipo de forenses sacaba un cadáver en una camilla cubierto con una sábana de papel dorado.

—¿Quién es? —les preguntó.

—El cura —respondieron ellos, provocándole a Marina casi un ataque al corazón.

—¿Qué cura?

—El malo —matizó uno de los camilleros—. Eso es lo que nos ha dicho su compañero.

«Más vale prevenir que curar», pensó la Inspectora, y levantó la sábana de papel dorado. Efectivamente, el Padre Eduardo descansaba en paz con la boca llena de sangre y una extraña mueca de felicidad en su cara. Aquello no podía ser más tétrico. Volvió a tapar al cura de un manotazo y buscó con la mirada por todo el parque hasta que le encontró. Jorge avanzaba agarrando a Damián, que caminaba con bastante dificultad haciendo gestos de dolor y parando cada cuatro pasos. Salió disparada hacia ellos y, cuando estuvo a su altura, colocó el otro brazo de Damián sobre su hombro para ayudarle a caminar.

—Hay mucha prensa y mucha gente ahí fuera, Jorge —le advirtió—. Vamos a tener que atravesarlo rápido.

—Yo puedo, de verdad, puedo llegar —les aseguró Damián.

—Menuda cagada lo del diputado y su hermana —dijo Marina a su compañero—. Nos hemos quedado con el culo al aire...

—¿Qué ha pasado? —quiso saber Jorge.

—No te preocupes, que lo mismo nos libramos de ello. ¡Ah! Y al Comisario, que le ha dado un infarto... y un matrimonio de frikis de la tele, que ya te contaré...

Jorge miró a su compañera con cara de no entender absolutamente nada de lo que le estaba contando. No era el momento de hacer más preguntas. Ahora lo único que le importaba era que Damián recibiera atención médica lo antes posible. Poco a poco los tres avanzaron los pocos metros que faltaban hasta la salida evitando pisar algunos cuerpos que todavía quedaban en el recinto. Al salir del perímetro, una nube de flashes los cegó. Y lo peor de todo: la prensa ya estaba informada de cómo, quién, cuándo y dónde gracias a «el milagro de internet».

—¡ABRAN PASO! —gritó Jorge antes de que preguntaran.

A los allí congregados les daba igual. En esos momentos, lo único que importaba era conseguir la foto y, si había suerte, las primeras declaraciones de los supervivientes. Los periodistas y los curiosos se peleaban por estar más cerca, por conseguir una foto lo más cerca posible.

—¿Es usted el cura que los ha salvado? —preguntó alguien dando a Marina con un micrófono en un ojo.

O sea, que ya se sabía lo que había pasado y quién era quién. Controlar la información iba a ser imposible. Jorge miró a una ambulancia al fondo y la tomó como punto de referencia. Pasaría por encima de todos ellos si eso era lo que hacía falta para poner a Damián a buen recaudo. Los pocos agentes que habían quedado libres para ayudarles no podían hacer mucho para contener a lo que ya eran cientos de periodistas y curiosos que se habían acercado al recinto para ver «la masacre del baile de la muerte» en directo.

—¿De verdad es usted cura o es un disfraz? —fue la pregunta de una reportera.

En ese momento, Damián se paró en seco, se quitó la mano de Jorge del hombro, le miró y le dijo al oído:

—Déjame hablar.

—Damián, ahora no... —le contestó.

—Jorge, tú déjame.

Marina puso cara de no entender nada de lo que estaba pasando y no tenía muchas opciones estando atrapada entre cientos de personas que los estaban grabando con cámaras y teléfonos móviles. Damián se quitó la camisa que le taponaba la herida de la cabeza provocando un grito general de espanto y un clamor de flashes. Cuanto más sangre, mejor, eso estaba claro.

—Quiero hablar... contigo —dijo señalando a una reportera bajita con el pelo muy largo que estaba en primera fila.

—Dígame, Padre. —Y le acercó el micrófono.

Damián tiró la camisa al suelo, intentó mantener el equilibrio, se apoyó en Jorge y fijó su mirada en la chica del micrófono, pero le estaba costando. Todo se volvía borroso por momentos.

—No quiero explicar todo lo que ha pasado aquí —comenzó—, supongo que dentro de poco ustedes conocerán todos los detalles...

—Damián —le interrumpió Jorge, apretándole una mano—, no es el momento...

—Déjame hablar —le replicó.

La chica del micrófono estaba hechizada con lo que tenía enfrente y presentía que lo que aquel cura macizo iba a decir iba a ser importante.

—Ahora mismo solo hay una cosa que quiero decir. Mi fe en Dios siempre me ha enseñado a creer, a perseverar y a nunca perder la esperanza... pero hoy se ha roto algo dentro de mí y no puedo más. Por eso quiero que la Iglesia y mi comunidad sepan lo que soy: un sacerdote que siempre he sido un hombre torturado por la duda hasta hoy, que he recuperado la confianza, la visión de quién soy y para qué estoy aquí, y la he recuperado en medio de esta tormenta, en el último sitio donde jamás pensé encontrarla, y la he recuperado junto a él. Junto a mi pareja.

Y miró a Jorge apretándole la mano todo lo fuerte que las pocas fuerzas que le quedaban le permitían. Jorge no pudo reaccionar. Marina, víctima de la presión acumulada a lo largo del día, se llevó las manos a la cara y no pudo impedir que se le escaparan las lágrimas, emocionada como si hubiera recogido el ramo de la novia en una boda. Jorge estaba temblando de pies a cabeza y recordó ese momento el resto de su vida a cámara lenta. Damián se giró y le abrazó, y en ese momento ambos sintieron que el mayor peso de sus vidas había desaparecido en un solo instante. Con un abrazo.

Nadie se atrevió a preguntar nada más. El silencio era sepulcral y tan solo era interrumpido por los clics de las cámaras de fotos. Damián se soltó y colocó uno de sus brazos sobre el hombro de Jorge y el otro sobre Marina, que ya estaba a lágrima viva. Los periodistas les hicieron pasillo. Los tres avanzaron lentamente, alguna gente se pudo a aplaudir. «¡Vivan los novios!», gritó un espontáneo absolutamente emocionado. Consiguieron llegar hasta una ambulancia, donde un equipo ya los estaba esperando.

—Dame las llaves del coche —le dijo Marina a Jorge mientras colocaban a Damián en una camilla—. Vete con él y os veo en el hospital.

Cuando la ambulancia arrancó, Marina cruzó la carretera y se metió en el coche. Respiró profundamente unos segundos y, aunque no quería hacerlo, sabía que lo iba a hacer. Abrió los ojos y miró a través del cristal. Lo que tenía delante era lo más parecido al infierno que iba a vivir en toda su vida. Lo único bueno de todo aquello era que ya había terminado.

Del todo.

Interior del furgón policial

«Al final va a ser verdad lo que dicen», pensó Rita. Lo que se aprende en la Academia de Policía no sirve para nada. La vida real es lo que te enseña. Y cuando abrió la puerta trasera del furgón policial se encontró con eso, con la vida real en forma de Marijose y Ramón, Bianca y Jasmina, Santiago, Alejandro, Miguel Ángel y Luis. Todos sanos y salvos y, con unas caras que en lugar de mostrar que acababan de escapar del infierno, parecían estar celebrando un botellón en Nochevieja. Y sí, su Luis estaba en plena forma y le seguía mirando con «esa cara». Al final, lo mismo el día terminaba bien y todo.

—Vamos a ver —les dijo poniéndose en el centro del furgón—, ahora mismo nos vamos a ir todos a comisaría porque tenéis que prestar declaración. Allí os vamos a dar café, algo de comer y ya encontraremos algo de ropa, porque vaya plan —explicó mirando de reojo a Bianca y Jasmina.

Bianca se sintió aludida y se levantó.

—Oiga, bellessa —le dijo—, que nosotras estamos bien perfectas para cumplir con la autoridad.

—Bianca, tranquilízate —le previno Jasmina—, que se te acaba de salir una teta.

Bianca se tapó la teta que, efectivamente, escapaba del biquini y le guiñó un ojo a Miguel Ángel, el chico que no paraba de preguntar cuándo iba a poder hacer pis y que le había parecido tan simpático. El furgón avanzaba a toda velocidad, y en menos de quince minutos estaban entrando todos por la puerta de la Comisaría central de Barcelona.

—Lo primero de todo, vamos pasando por aquí para que os tomen los datos —les indicó Rita.

Luis era el último de la fila, pero antes de entrar se apartó un momento y se acercó a Rita.

—¿Qué va a hacer la señorita cuando termine el turno? —le preguntó.

—Pues pensaba irme a mi casa, darme una ducha y sacar a pasear a mi perra, pero lo mismo me esperas, nos vamos a un hotel y te paso la porra y la placa a ver qué tal te defiendes —le contestó ella.

—¿Sabes que en mi próxima película hago de policía? —le anticipó él.

—Pues habrá que ponerse a ensayar —respondió mientras se alejaba canturreando por el pasillo.

—¡Virgen del Misterio, cómo está su señoría! —se oía a Bianca al fondo.

Unas horas más tarde

Marijose y Ramón salieron por la puerta trasera de la comisaría. El juez les había dicho que, dadas las circunstancias, no era plan de hablar con los medios de comunicación al menos hasta que finalizara la instrucción. Esto, por supuesto, puso de un humor de perros a Marijose. Un agente los acompañó a un coche policial.

—¿Adónde les llevo? —les preguntó una vez que estuvieron los tres dentro.

—¡Al hotel y a la estación! —respondió Ramón, emocionado.

—¿A la estación? —dijo Marijose con cara de perro.

—Cariño —le apremió él cogiéndole las manos—, si nos damos prisa podemos coger un tren y llegar a Valencia a tiempo...

—¿A tiempo de qué? —se extrañó ella.

—¡De largarnos de aquí y ver los resultados electorales, mi vida! ¡Imagínate que ganan los de la Independencia y nos encontramos en territorio extranjero! ¡Sin pasaporte!

—Ramón, tú no estás bien de lo tuyo...

—Marijose, hoy he aprendido una cosa...

El agente al volante no daba crédito a lo que estaba escuchando y no perdía detalle a través del retrovisor.

—Hoy los españoles tenemos que estar más unidos que nunca, en lo bueno y en lo malo, que mira tú qué desgracia hemos vivido, pero tenemos que seguir unidos, más que nunca... porque nada une como el desastre...

—Ramón, hay que ver el bofetón que tienes —dijo ella.

—Marijose...

—¡Yo quedándome sin mi momento de estrella de la televisión y tú con tu locura de la política! ¡A ti te la suda! ¡Con tal de que España no se separe, como si a mí me atropella un autobús!

—No te pongas así, mujer... Es que no lo entiendes... ¡España es una! —le gritó Ramón.

Visto lo visto, las cosas estaban a punto de ponerse feas y, muy discretamente, el agente salió del coche para dejarles un poco de intimidad.

—¡Pues toma España! —le contestó Marijose.

Y le dio un bofetón, presa de los nervios. Y luego otro. Y otros dos. Y en ese momento a Ramón se le iluminaron los ojos. Y Marijose sonrió porque vio otra vez, de improviso, «esa cosa» en los ojos de su marido.

La tele podía esperar, al fin y al cabo.

Epílogo
Un año después

Tras el escándalo, Carla abandonó unos meses la televisión y regresó a bombo y platillo presentando su ONG «Famosas Exdrogadictas Sin Fronteras». España entera adoró su regreso y la perdonó. Carla organiza talleres y visita colegios para alertar a las nuevas generaciones del peligro de las drogas. Por supuesto, se sigue metiendo de todo.

- Su hermano Matías decidió abandonar la política, se enamoró de un concejal de Podemos y trabaja en un despacho de abogados defendiendo a las víctimas de las Preferentes y otras injusticias sociales.
- Bianca y Jasmina, después de innumerables apariciones en televisión y bolos en discotecas, abrieron una nueva peluquería en el Barrio de Salamanca. Bianca sigue soltera, aunque tiene tres novios y está a punto de participar en una nueva edición de *Gran Hermano VIP*. Jasmina sale con el hijo de un exministro socialista.

- Santiago y Alejandro están en proceso de preproducción de *Un baile de muerte*, la película que contará la tragedia que vivieron. La boda de Santiago se suspendió. Indefinidamente.
- Miguel Ángel, traumatizado por los hechos, se retiró del cine, se dejó barba y se fue a vivir con su novia de toda la vida a un pueblo de Burgos. Tienen una próspera empresa de queso de cabra ecológico y están pensando en abrir un hotel rural.
- Rita se quedó embarazada (de gemelas) de Luis la misma noche de la tragedia. Al mes de dar a luz, Luis la abandonó y Rita protagonizó una de las portadas del corazón más sonadas de los últimos tiempos. Dejó la Policía y actualmente escribe un blog superfamoso sobre madres trabajadoras. Luis, por su parte, se ganó el odio de España al abandonar a Rita, engordó y ahora trabaja de secundario en una serie donde Ana Obregón hace de Agustina de Aragón en el futuro.
- Marina cogió una baja temporal por estrés tras recoger la medalla al mérito y pasa los días en una casa de montaña en el Alto Ampurdán con su marido y sus hijos. Desde el día de los hechos, ha desarrollado una fobia terrible por las piscinas y las sotanas.
- Damián fue expulsado de la Iglesia y en la actualidad trabaja en un colegio con niños discapacitados y estudia un master por las tardes sobre autismo infantil. Vive con Jorge a las afueras de Barcelona.
- Marijose se convirtió en una estrella mediática y desde hace tres meses presenta todas las tardes en una televisión local de Valencia *Cuéntaselo a Marijose*, un programa de testimonios y reportajes sobre moda y famosos de su provincial, y sueña con dar el salto a

la televisión nacional. Ramón, por su parte, sigue siendo de derechas pero moderado. Ahora tiene un mejor amigo gay y le cae bien Albert Rivera, aunque piensa que es demasiado rojo.

- El Gobierno de España declaró nulo el referéndum secesionista y, meses después, Jorge fue ascendido a Comisario por su labor en la tragedia. El mismísimo Presidente del Gobierno fue el encargado de nombrarle en su nuevo cargo e informarle de que sería el encargado de supervisar todo el dispositivo de seguridad del nuevo referéndum que se celebraría en doce meses. Y que coincidiría, casualidades de la vida... con una nueva edición del Circuit.

FIN

Agradecimientos

En primer lugar, y por encima de todo, a usted, mi querido lector. Por haberse comprado este libro y haberme dedicado un ratito de su vida. Espero de corazón que haya valido la pena, porque me he dejado los cuernos para sacarle una carcajada, aunque sea de espanto. Por supuesto, si usted se lo ha descargado ilegalmente, nada de lo anterior se aplica, que los escritores no podemos pagar en el supermercado en función de nuestras descargas ilegales y comemos igual que usted y nos cuesta igual que a usted llegar a fin de mes.

El apoyo de los amigos ha sido fundamental en la escritura de esta historia. Gracias: Gustavo Esquivel, José Castañ, Etor Olabarri, Janneth Muñoz, Ana Marian, Pedro Bertorello, Rafael González, Valeriano Poquet, Alicia Rueda, Eva Oliveira. Unas gracias especiales a Jorge Angla, el lector del primer manuscrito, por el cariño, la paciencia y la ayuda. Varios personajes de este libro brillan un poco más gracias a tus consejos y a los de Gonzalo Pretel (mi cuñadísimo). A mi primo Felipe Lucas y mi sobrino Brian, siempre pacientes en la distancia. A Mar, Mili y Connie por seguir confiando en mis historias. Gracias a Valery Vegas: te admiro tanto... y a Eduardo Mendicuti por seguir siendo una referencia en las letras y en la vida. A mi padre, mi yaya y mi sobrina Abril. Gracias a mi familia en *Master-Chef* (Macarena Rey, Ana Rivas, José de Isasa, Alba Castilla y Fernando Macías) y todo el mundo en Shine Iberia, que toleran a diario mis locuras con una cámara. Lo que las redes sociales han unido que no lo separe nadie. Daniel Calamonte, Mateo Franjo, Borja Paris, Rake Carreras, Antonio Collado, Jose R Díaz y Paco Llamas (Boite Madrid), Raquel Badenes, mis sobrinos Pepino y Crawford, la gente de Tanga Party y todos que se me olvidan que me han aguantado en un año loco entre trenes y aviones. A Sandy Perales, por ser la prueba de que los sueños se cumplen. A mi gente en Equipo Singular (Paco Caro, ¡que te quiero!), Teresa Tarrago y Santiago Tello (haces milagros conmigo) y a Leo Cerrud (por la amistad y las pieles tersas). Eduardo Lazcano, gracias por enseñarme sitios nuevos en mi cabeza. Svet Von Bathory y Daniel García Prim, gracias por ser mis chicos de portada. Y el más grande agradecimiento de esos de hincarse de rodillas para todos los seguidores en mis redes sociales, con mención especial para Pedro Palomo, Ana María Axlr y Gloria, de los clubs de fans. Vosotros tenéis mucha culpa de esto. Se os quiere, ratones.

Y para terminar, a Maribel y Raimundo, porque pasan los años y sigo haciendo lo que hago para dedicároslo. Todo esto siempre ha sido por y para vosotros.

Títulos de la colección Narrativa

Es difícil encontrar héroes
Sebastian Beaumont

La sinfonía de los veleros varados
Antonio Jiménez Ariza

Un encuentro imprevisto
Graeme Woolaston

Nadador nocturno
Joseph Olshan

Pavana para una infanta difunta
Moncho Borrajo

Glamour en antena
Christian McLaughlin

Más allá del límite
Mike Seabrook

El último verano
Paul Monette

Algún día te escribiré esto
Luis Algorri

El cuarto segmento
Luis Melero

El proceso de Jean-Marie Le Pen
Mathieu Lindon

El jardín de los fantasmas infinitos
Antonio Jiménez Ariza

Los chicos de alquiler no lloran
Richie McMullen

Ahora y entonces
William Corlett

Amigos y amantes
William J. Mann

Desayuno con Scot
Michael Downing

Agárrate fuerte
Christopher Bram

Sobreviviré
David Rees

Un largo camino
Jim Grimsley

El corredor de fondo
Patricia Nell Warren

Amando en tiempos de silencio
Timothy Conigrave

Caído
Aiden Shaw

La fragilidad de los sentimientos
Patrick Gale

Vanitas
Joseph Olshan

El hombre bravo
Patricia Nell Warren

Listo para sostenerle si se cae
Neil Bartlett

El peor ligue de mi vida
David Leddick

La noche en que me enamoré de
River Phoenix
Antonio Jiménez Ariza

La carrera de Harlan
Patricia Nell Warren

Los Pelícanos
Benoît Vallier

El chico de la ciudad
Paul Reidinger

Fast sex o los rubios peludos no
caen de los árboles
Gallego Alcaraz

El baile de las olas
Jay Quinn

El maleficio de la belleza
Gordon Merrick

Numerados
John Rechy

Una piedra en el estanque
William Taylor

La densidad de las almas
Christopher Rice

16
P-P Hartnett

Últimos días
Basada en el guión de C. Jay Cox,
adaptado por T. Fabris

Tu piel en mi boca
AA.VV.

Tío Sean
Ronald L. Donaghe

El muchacho de Túnez
Alexandre Legrand

Londres para corazones despistados
Alberto Mira

Lance
Ronald L. Donaghe

Todo sobre él
Ronald L. Donaghe

Tal como soy
E. Lynn Harris

Bajo el signo de Aries
Norberto Luis Romero

Donde están los chicos
William J. Mann

Los años olvidados
Antonio Duque Moros

Billete al paraíso
Daniel García Carrera

El hijo de Billy
Patricia Nell Warren

Mi amado míster B.
Luis Corbacho

El mismo abrazo
Michael Lowenthal

Objeto de todos los deseos
Françoise Bourdin

Cuando llegue el amor
Tom Lennon

El día del cliente
Daniel O'Hara

Doce fábulas
Lluís Maria Todó

Bien dotado
Lawrence Schimel

El día que murió chanquete
José L. Collado

Tofino Beach
Jean-Chtistophe Dardenne

El sacerdote
Patricia Nell Warren

Generations of love
Mateo B. Bianchi

Los cuerpos incompletos
Alfredo Iglesias Otero

La última oportunidad
Vince Lawson

Historia(s) de Chueca
Abel Arana

La estrella de hojalata
J. L. Langley

Basta que paguen
Alessandro Golinelli

Soñé tu boca
Lawrence Schimel

El mal francés
Lluís Maria Todó

Cuando todos duermen
Martín Mazza / Khaló Alí

La piel gruesa
Raúl Portero

Las colinas de Brooklyn
Fernando P. Fuenteamor

Más historias de Chueca 2
Abel Arana

De Gabriel a Jueves
Juan Flahn

Telón. Historias de Chueca 3
Abel Arana

La obra imperfecta
Raúl Ansola

Hermano
José Luis Serrano

Crónicas de un soltero
Abel Arana

Sedom. Indebidamente tuyo
Marisa Rubio

Mi hermano y su hermano
Håkan Lindquist

Sórdidas verdades
Aiden Shaw

Pequeños laberintos masculinos
Guillermo Arróniz

Reykjavík línea 11
Raúl Portero

Morir maquillado
Luis Corbacho

La vida real
Raúl Ansola

El gladiador de Chueca
Carlos Sanrune

Saberse olvidado
Sebastián García Hidalgo

Sebastián en la laguna
José Luis Serrano (elputojacktwist)

Mi mano en tu oscuro corazón
Fernando P. Fuenteamor

Lo peor de todo es la luz
José Luis Serrano

Un baile de muerte
Abel Arana